Respete el derecho de autor.
No fotocopie esta obra.
CeMPro

Teléfono: 1946-0620
Fax: 1946-0655
e-mail: a_literatura@editorialprogreso.com.mx
e-mail: servicioalcliente@editorialprogreso.com.mx

Desarrollo editorial: Víctor Guzmán Zúñiga
Dirección editorial: Eva Gardenal Crivisqui
Edición: Ariel Hernández Sánchez
Coordinación de diseño: Rigoberto Rosales Alva
Diseño de portada e interiores: Miguel Ángel Monterrubio Moreno
Ilustración de portada e interiores: Humberto García Martínez

Viaje a las Chimeneas de las Hadas
(Colección Rehilete)

Miembro de la Cámara Nacional de la Industria Editorial Mexicana
Registro No. 232

ISBN: 978-970-641-837-1 *(Colección Rehilete)*
ISBN: 978-607-456-167-8

Impreso en México
Printed in Mexico

1ª edición: 2009

PROGRESO
EDITORIAL ®

Viaje a las Chimeneas de las Hadas

Elena Dreser

Ilustraciones de Humberto García

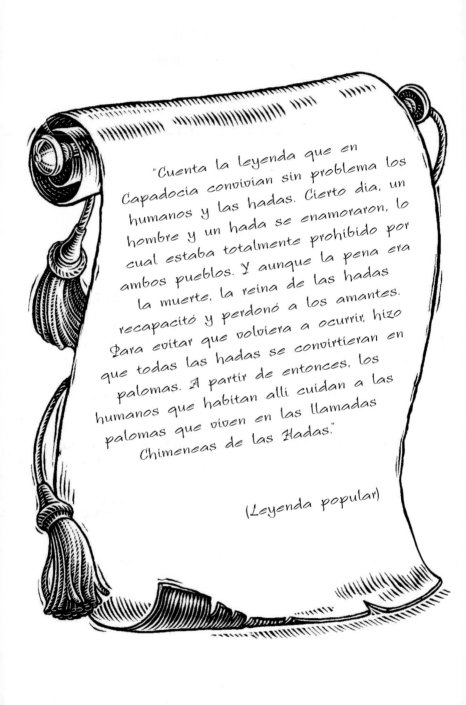

"Cuenta la leyenda que en Capadocia convivían sin problema los humanos y las hadas. Cierto día, un hombre y un hada se enamoraron, lo cual estaba totalmente prohibido por ambos pueblos. Y aunque la pena era la muerte, la reina de las hadas recapacitó y perdonó a los amantes. Para evitar que volviera a ocurrir, hizo que todas las hadas se convirtieran en palomas. A partir de entonces, los humanos que habitan allí cuidan a las palomas que viven en las llamadas Chimeneas de las Hadas."

(Leyenda popular)

El desencanto

—¡¿A Turquía?! –exclamó Ramona, casi en un grito.

Abandonó el libro que estaba leyendo y de un salto se puso en pie. Comenzó a dar volteretas mientras se estrujaba las manos.

— Sí –dijo el papá–, me invitan a un congreso en Estambul.

—¡Yo, yo, yo, yo, yo...! –tartamudeó Ramona, señalándose a sí misma con su dedo índice–. ¡Yo quiero ir!

—¡Ay, hijita! –intervino el papá–. Voy a trabajar, no a pasear.

—¡Tengo que ir! –decía Ramona–. ¡Debo ir! ¡Es urgente que vaya!

—Estaré ocupado –explicaba el papá–, no podría cuidarte.

—¡Pero si ya soy grande! –afirmó Ramona–. ¡No necesito que nadie me cuide!

—¡Sí, sí, muy grande! "Mi almohada, ¿dónde está mi almohadita?" –imitó el papá la voz de su hija, como siempre que deseaba recordarle aquel tremendo día cuando le quitaron su vieja almohada.

—¡Papi! ¡Eso ocurrió hace mucho tiempo! ¡Hace años! Fue mi último berrinche de niña.

—¿Y esto qué es? —preguntó el padre—, ¿tu primer berrinche de jovencita?

Ramona sabía perfectamente cuando la paciencia de su papi llegaba al límite, cuando todo argumento era inútil, y cuando su causa estaba perdida; ¡irremediablemente, perdida…!

Con el fin de no empeorar la situación, se fue a su cuarto.

Se recostó sobre aquella querida almohada donde, según su abuela, habitaba el Ángel de los Sueños, el que la ayudaba a viajar cada noche. Aunque Ramona ya no era tan chica, nunca dejaría de recorrer con su imaginación los lugares más alejados del planeta: el mar, el bosque, la llanura, el desierto…

Y allí, en el desierto central de Turquía, aguardaba un misterio que Ramona quería descubrir con sus cinco sentidos. Había leído mucho acerca de las maravillas de Capadocia: cuevas, iglesias rupestres, ciudades subterráneas, conos de lava y...

—¡Chimeneas de las Hadas! —pronunció en voz alta.

Quería experimentar aquel silencio, ver aquellas rocas, tocarlas, olerlas, probarlas...

Un par de lágrimas rodaron por su mejilla y humedecieron la funda blanca. A Ramona le parecía injusto tener su edad, no ser grande ni chica; siempre estar en total desventaja.

A menudo, le recordaban que ya era suficientemente mayor para asumir ciertas obligaciones: guardar orden en sus cosas, mantener una actitud madura, responsabilizarse de esto o de lo otro... ¡Uf! ¡Una lista interminable!

Y también le recordaban que aún era menor para reclamar ciertos derechos: disfrutar un momento de privacidad, pensar sin ser interrumpida, tomar algunas decisiones; especialmente, todo lo relacionado con divertirse.

Ramona imaginaba que sus papás la creían dos personas distintas, según sus intereses o según el momento: a veces, como una completa adulta; y a veces, como una pequeña bebé.

Eso concluía Ramona cuando escuchó el sonido de platos y cubiertos que anunciaba la cena. No tenía hambre, deseaba quedarse allí, conversando a oscuras con su almohada... ¡era la única que la entendía...!

Luego pensó que faltar a la cena sería una agresión a su papá. Ramona hizo un esfuerzo por incorporarse y, mientras se alisaba la ropa, caminó hacia el comedor.

El silencio de la mesa se prolongó por varios minutos, hasta resultar incómodo. De pronto, el padre lo cortó igual que si retomara una conversación reciente:

—De cualquier modo, hijita, Turquía queda muy lejos. El vuelo de México a Madrid es largo, pesado para quien no acostumbra a volar. Y en el aeropuerto de Barajas, hay que hacer una escala ¡de cinco horas! antes de tomar el otro vuelo a Estambul.

Ramona continuaba callada, con la mirada fija en su plato. El papá, al no lograr que su hija reaccionara, completó:

—El pasaje vale caro. A los participantes del congreso nos cubren los gastos, pero no a los acompañantes. Si yo pudiera, invitaría a tu mami; hemos viajado así en otras ocasiones.

Ramona asintió con un gesto comprensivo. Entendía las explicaciones de su papá: eran razonables... sólo que… entender no calmaba aquel dolor en la garganta que le impedía tragar… eso, únicamente, se aliviaría soltando todo el llanto reprimido que la ahogaba.

Al día siguiente fue domingo. Y como siempre que llegaban los abuelos, se reunieron a comer en el jardín.

No se había mencionado el tema del viaje durante horas, al menos no frente a Ramona. Hasta que esa tarde, bajo la sombra del naranjo, la mamá comentó la noticia del congreso adonde viajaría su esposo, y agregó:

—Esta niña quiere acompañarlo, ¡se muere por conocer Estambul!

—¡No! —dijo Ramona—. No me muero por conocer Estambul.

La miraron con extrañeza. Esperaban una explicación, especialmente, el papá. Después de unos segundos en silencio, Ramona aclaró:

—Adonde quiero ir es… a Capadocia. Siempre he soñado con ver el amanecer en las Chimeneas de las Hadas.

—¿¡Capadocia!? ¡Eso queda en la meseta de Anatolia, en el centro de Turquía! –exclamó el papá–.

Suponiendo que fueras conmigo a Estambul, ¿cómo pensabas llegar hasta allá?

Ramona bajó la cabeza y se mantuvo nuevamente en silencio. Su ilusión de conocer aquel misterioso lugar se alejaba, se desvanecía en jirones, igual a la niebla con los rayos del sol. ¡Su bello sueño parecía inalcanzable!

El abuelo cortó la tensión, averiguando los detalles del viaje: fechas, horarios, línea aérea... Tal vez, con la intención de aliviar la vigilancia que recaía sobre su nieta o, tal vez, porque escondía otro propósito... Además, preguntó:

—¿Ustedes tienen amigos en Turquía, verdad? ¿Es un matrimonio joven, no?

—¡Esa podría ser la solución! –dijo la abuela.

Ramona sintió que se encendía una pequeña luz en medio de su pecho... igual a la de Campanita en el País de Nunca Jamás.

—Nuestros amigos son excelentes personas –reconoció la mamá–, pero sería un abuso pretender que se responsabilicen de nuestra hija. Ellos tienen un bebé, ya están suficientemente atareados.

—A menos que alguien acompañe a Ramonina desde aquí –insinuó la abuela.

—¡Imposible! –intervino el padre–. Si va también mi esposa, serían dos pasajes y todo lo demás.... ¡Imposible! No estamos en condiciones de afrontar ese gasto.

—Aunque se solucionara lo económico, yo no puedo viajar en este momento –informó la mamá–, tengo pendientes en mi trabajo.

Nuevamente, se hizo el silencio. Entonces, Ramona descubrió la misteriosa casi sonrisa de su abuela que le permitía mantener viva cierta esperanza. Siguió callada con el fin de conservar la magia, debía cuidar que esa pequeña luz continuara encendida.

La decisión

Aquella tarde, al regresar a su casa, los abuelos conversaron por largo tiempo... tanto, que les llegó la noche razonando, haciendo cuentas... investigando a cuánto estaban el euro y la lira turca.

El señor decía:

—Lo importante es que nuestras necesidades básicas estén aseguradas. El resto es mejor disfrutarlo. Y un viaje no nos hará más pobres, bastará con ajustarnos un poco.

La señora opinaba:

—¡Hay que aprovechar las fuerzas que aún nos quedan, antes de que sea demasiado tarde!

Y él completaba:

—Es verdad. ¿Si no es ahora, cuándo? ¡En el desierto, no se puede andar con bastón!

Ambos reían. Pero ella no parecía completamente feliz: a cada rato, comentaba con un suspiro:

—Lástima que nuestros ahorros no alcancen para acompañarla tú y yo. ¿Te imaginas ir los dos con Ramonina?

El señor, alzando los brazos, afirmaba:

—¡A mí, no me atrae tanto como a ustedes visitar piedras de siete mil años…!

En otras ocasiones, decía con mucha seguridad:

—Tampoco me gusta ir a un lugar donde no puedo comunicarme con la gente. ¿Quién entiende turco? ¡Es un idioma muy complicado!

Y la mayoría del tiempo, repetía:

—Alguien tiene que cuidar la casa: darle de comer al gato, regar el jardín, cosechar las frutas… No, no… Yo prefiero quedarme aquí tranquilo con mis libros, escribiendo cartas a mis amigos…

A la señora le surgían dudas. Hasta que su esposo, muy categórico, exclamó:

—¡Este viaje es de Ramonina con su abuela, que no se diga más!

¡Y no se dijo más!

El lunes temprano, fueron a la agencia de viajes; sólo con la idea de obtener información y algunos folletos de Turquía. La empleada les explicó que ya quedaban pocos lugares en ese vuelo, que lo mejor era reservar los pasajes de una vez.

—¡Aún no sabemos si le darán permiso a la niña! –decía la señora.

—¿Por qué no le van a dar permiso? –preguntaba el abuelo–. No tendrá que faltar al colegio; el viernes comienzan sus vacaciones de primavera. ¡El viaje coincide exacto con esos días!

—Ahora no deben pagar nada –aclaró la empleada–, hay veinticuatro horas para confirmar la reservación. Si deciden viajar, ya tendrán asegurados esos asientos, ¡son los últimos!

¡Y reservaron los pasajes!

Por la tarde, los señores tomaron la calle angosta que los conducía al rescate de su consentida. Respiraban el aire tibio y el perfume de las diversas flores que asomaban en racimos sobre los muros de piedra.

Los padres de Ramona se sorprendieron al verlos llegar en día lunes y sin ninguna razón aparente.

El abuelo, con una taza de café en las manos, preguntaba cuál era la temperatura de Estambul en esa época, cuál era la ropa adecuada que debían usar las mujeres en aquella cultura… hasta que la abuela interrumpió:

—¡Basta de preámbulos!

En pocas palabras, expuso todo el plan y mostró la hoja de reservación. Los padres de Ramona se quedaron con la boca abierta. En cambio, Ramona gritó:

—¡YUPI! –y comenzó a dar volteretas con los brazos en alto.

La mamá dudaba:

—No sé, no sé… ¡Cómo van a gastar sus ahorros!

—¿De qué sirven los ahorros –contestó el abuelo–, si no se disfrutan en vida?

—¡Jm! –refunfuñó el papá–. Yo me pregunto: ¿quién va a cuidar a quién?

—Ni mi nieta es tan chiquita –afirmó la abuela–, ni yo soy tan anciana.

La mamá, quien se había quedado pensativa, intervino:

—Les voy a pedir a nues-
tros amigos que nos ayuden a
conseguir un hotelito familiar en el casco antiguo de la
ciudad, donde está lo más importante. También que
nos recomienden una agencia de viajes muy responsable para el *tour* a Capadocia...

Ramona no esperó más. Corrió a llamar por teléfono a sus mejores amigas, necesitaba contarles todo...

—¡Me voy a Turquía! –exclamaba casi gritando.

Al principio, ellas no le creían. Por fin, Ramona logró serenarse y ordenar sus ideas. Sólo así, pudo convencerlas de que era verdad. Entonces, las amigas comenzaron a encargarle cosas.

—Me basta con una postal –sostuvo la primera.

—Yo quiero unos aretitos turcos –pidió la segunda.

—Me gustaría un disco que esté de moda por allá –dijo la tercera.

—¿Crees que podrías traerme un almohadoncito? –preguntó la cuarta.

Después de apuntar los encargos en una libreta, Ramona decidió darle un descanso al teléfono y buscar música adecuada al momento. Lo más parecido que había en su casa era un disco ruso. En cuanto se escucharon los primeros acordes, ella comenzó a bailar, esquivando los muebles.

—¡En Estambul, vas a comprar música turca! –aseguró el abuelo.

—¡Hasta un disfraz de odalisca! –completó la abuela.

Y todos se unieron al baile de aquella música tan cadenciosa, tratando de imaginar que era turca.

Preparativos

¡Qué semana tan intensa vivió Ramona! Hubo desfile de amigas por su casa. Una le regaló su pulserita de la suerte; otra le trajo folletos de cuando sus padres viajaron a Turquía. En la escuela, abundaban los deseos de buen viaje y algunos otros sentimientos que ella prefería ignorar.

Ramona leía mucho acerca de aquella zona. ¡Cuánto por visitar, por conocer, por aprender; qué historia tan fascinante! Y cada descubrimiento lo comentaba con su familia:

—¡Siete mil quinientos años antes de Cristo, ya había un importante asentamiento humano en la meseta de Anatolia! –leía Ramona, entusiasmada–. ¡Fue la segunda ciudad más antigua del mundo, sólo después de Jericó!

Además, consultaba el clima por Internet. ¡Pero cada vez estaba más confundida! La primavera turca era de lo más desconcertante: de un momento a otro, se pasaba del sol a la lluvia… La temperatura se comportaba como un columpio: subía y bajaba constantemente.

Cuando Ramona se cansó de tanta inconsistencia, tuvo que pedir ayuda a su mamá:

—¡Mami! ¡No sé qué empacar! ¿Ropa de invierno o de verano?

La madre, con su paciencia de siempre, respondía:

—Cualquier primavera lluviosa se puede afrontar con blusas, faldas o pantalones regulares, algún suéter abierto y una chamarra impermeable. Sin olvidar paraguas y sombrerito de tela.

El padre se cruzaba a cada rato con Ramona, sin detenerse, le decía algo así:

—No olvides fotocopiar tu pasaporte, y guardar esa hoja en el bolsillo interno de tu maleta. También recuerda que no deben ir a bordo líquidos, cremas ni objetos cortantes.

—¿Ni un cortaúñas? –preguntaba Ramona, incrédula.

—¡Nada de eso! –decía el papá–. Ni siquiera una lima de metal.

Ramona suspiraba, añorando los tiempos antiguos de las novelas, aquella época en que se podía transportar cualquier cosa; y el viajero tenía quien le organizara su equipaje.

—Claro, que únicamente los nobles disfrutaban de esa comodidad… –pensaba Ramona–, y yo no soy aristócrata. Tal vez, hasta me hubiera tocado ser valet… ¡No, no! ¡Es mejor esta época: que cada quien empaque lo suyo!

—Hijita –continuaba la mamá–, agrega un chal, te servirá de bufanda y para cubrirte la cabeza en las mezquitas. Lleva zapatos cómodos y mudas prácticas, también algo más formal por si cenan en algún sitio elegante.

Por fin, Ramona anunciaba muy contenta:

—¡Todo cupo en una maleta pequeña, bien apretadita!

La madre no parecía estar de acuerdo, entonces, aconsejaba:

—Mejor, lleva una maleta mediana. Allá, no tendrás tiempo de empacar con tanto cuidado. Y si compras algo, te faltará espacio.

—¡De veras! –exclamaba Ramona–. ¡Los regalitos y los encargos de mis amigas...!

—Además, es conveniente llevar a bordo un bolso con otra muda completa, incluso camisón –decía la mamá.

—¿Eso por qué? –preguntaba Ramona.

Y la madre respondía:

—Las líneas aéreas suelen perder el equipaje; aunque ellos le llaman "demorar". Y sí, después de pasearse por medio mundo, tu equipaje demorado aparece otro día. Pero si no has prevenido este inconveniente, si no traes contigo al menos un cambio de ropa, se arruina tu viaje.

—¡Tú sí que sabes, mamita! –decía Ramona.

La mamá contestaba:

—Hay dos formas de aprender: una es escuchando consejos, y otra es viviendo incómodas experiencias.

—¡Yo prefiero escuchar cómodos consejos, mami! –aseguraba Ramona.

Y ambas reían, escondiendo cierta inquietud al recordar que pronto estarían separadas por ese ancho océano y esa larga distancia.

Los días pasaron volando. Ramona imprimió una lista de las palabras más esenciales en idioma turco, y las repetía con el fin de memorizarlas rápido, andaba por la casa murmurando:

—La hache se pronunciaba como jota muy suave…

El teclado de su computadora no tenía S con colita, así que la cambió por SH, como en shampoo; fue la equivalencia más parecida a esa pronunciación. La lista quedó más o menos así:

Hola = *Merhabá*

Buenos días = *Günaydín*

Gracias = *Teshekkür ederím*

Por favor = *Lütfen*

Sí = *Evet*

Fue a cortarse el cabello y compró una lima de cartón. Todas las tardes revisaba su bolsilla de cintura donde iba resguardado lo principal: pasaporte, monedero, boleto de avión, llave de maleta, bolígrafo, dirección del hotel, números telefónicos…

Por primera vez, Ramona se sentía responsable de sí misma: ¡eso era crecer! Sus amigas llamaban a cada rato, querían despedirse y recordarle sus encargos:

—¡Mis aretitos turcos!

—¡No olvides el disco que te encargué!

—¡Mi almohadón, aunque sea uno pequeño!

¡Hasta que llegó el gran día!

Ramona amaneció
aturdida, como sonám-
bula: ¡no había logrado
dormir por los nervios
del viaje!

—¿Olvidaré algo…? –pensaba una y otra vez.

A último momento, antes de salir y con las maletas ya cerradas, la mamá trajo dos bolsas grandes de plástico negro.

—¿Y eso? –preguntó Ramona, sin entender su utilidad.

—Son bolsas para la ropa sucia –explicó la mamá–. No es necesario abrir la maleta, van aquí, en el bolsillo de afuera. Así, las tendrás a mano…

¡Ramona quiso impedir que su madre abriera ese gran bolsillo…! ¡Ella guardaba un secreto…! ¡Se lanzó como volando hacia su maleta…!

¡Fue tarde, irremediablemente, tarde! La señora estaba más cerca, y sus manos comenzaron a deslizar el cierre…

—¡Está muy abultado! –observó la mamá–. ¡¿Qué hay aquí?!

¡Y de inmediato, se encontró con aquella sorpresa!

Ramona no sabía adónde mirar, se estrujaba las manos y apretaba los dientes.

—¡¿Empacaste tu almohada?! –exclamó la señora, entre asombrada y risueña–. ¡¿La llevas nada menos que al país de las alfombras y los almohadones?!

—Es que… la del hotel puede ser muy alta… o incómoda… –dijo Ramona, y enseguida suplicó– ¡No se lo digas a papá, porfis, mamita!

Mientras la señora continuaba riendo, le dio un abrazo muy fuerte a su hija. Ramona supo que era el abrazo de despedida. Y que en ese momento, su mamá la sentía como aquella pequeña bebé que nunca quería desprenderse de su vieja almohadita.

En los aeropuertos

El abuelo y la mamá acompañaron a los viajeros hasta la terminal de autobuses de Cuernavaca. Mientras esperaban, el abuelo repetía una vez más su cantaleta de la última semana:

—Deben cuidarse mucho una a la otra.

La madre, al ver a su hija adormecida, trataba de animarla:

—Lo bueno de haber pasado la noche despierta, es que tal vez eso te ayude a dormir en el avión. Así, el viaje se hace más corto.

El papá, en cambio, fue el único en proponer algo nuevo:

—Hija, necesito que me ayudes con el estuche de los carteles que debo presentar. Es liviano. Prefiero llevar a bordo el material para el congreso, no quiero arriesgarme a perder algo. ¿Puedes responsabilizarte de este tubo?

—Sí, papi —contestó Ramona, totalmente despreocupada al colgarse del brazo esa correa; sin imaginar la pesadilla que significaría hacerse cargo de aquel estuche rojo.

El maletero recogió el equipaje grande, y se intensificaron las despedidas: besos, abrazos, recomendaciones, muchas advertencias que recaían sobre todo en Ramona. ¡Uf! ¡Ya necesitaba que las despedidas terminaran de una vez!

Pasaron por el puesto de seguridad, donde tuvieron que quitarse las pulseritas. Al abordar el autobús, la abuela le preguntó a Ramona:

—¿Y el tubo?

Ramona no tenía idea de dónde había quedado el estuche. Sólo atinó a balbucear:

—¿No lo guardaron con el equipaje?

—Me parece que no —contestó la señora, bastante preocupada.

Y se desató la búsqueda urgente del estuche, mientras por el altoparlante anunciaban que en un minuto partiría el autobús hacia el Aeropuerto Internacional de la ciudad de México.

¡El maletero aseguraba que en el portaequipaje no iba ningún tubo: ni rojo ni de otro color!

Comenzaron a desandar el camino… regresaron hasta la sala de espera… ¡Y allí se encontraba el estuche! Muy derechito, erguido en medio del pasillo central; tenía aspecto desolado, nadie se interesaba en él.

El padre se agarraba la cabeza. La abuela comenzó a reír; y Ramona no sabía dónde esconderse. Fueron los últimos en subir al autobús. Durante el viaje, Ramona prefirió cerrar los ojos, necesitaba descansar, que nadie le hablara, y menos que le reprocharan algo.

El aeropuerto le pareció fascinante a Ramona: los espacios amplios, ese murmullo continuo, aquel rápido movimiento de la gente…

Documentaron el equipaje. Ya con sus pases de abordar y sus bultos de mano, tomaron diferentes rumbos. El papá fue a llamar por teléfono. La señora se dirigió al banco a cambiar dinero. Y su nieta la acompañó; ella también necesitaba canjear sus modestos ahorros por euros.

Ramona andaba muy distraída, tal vez por el sueño, o porque nunca había visto tantas personas excéntricas en un mismo lugar. Algunos eran altísimos; otros con rostros extraños y vestimentas más extrañas aún, hablando los idiomas más variados del mundo...

Cuando Ramona se retiraba de la ventanilla del banco, su abuela con cara de pícara, le preguntó:

—¿No olvidas algo, Ramonina?

—¡El tubo! –gritó la nieta, girando sobre sus zapatos.

Rescató el estuche que seguía muy obediente apoyado en el mostrador de cambios. Se lo colgó del brazo con ánimos de untarle pegamento, y dijo:

—Abue... ¡No se lo digas a mi papá, porfis!

El vuelo fue largo, larguísimo, ¡interminable! Ramona leyó el folleto de seguridad, la revista de la aerolínea, su lista ampliada de las palabras en turco:

¿Qué? = *¿Ne?*

¿Cómo estás? = *¿Nasilsín?*

Bien = *Iyiyín*

—"Gracias" también se puede decir *Mercí* o *Sagol* –murmuraba Ramona–, aunque suena mucho más interesante: *Teshekkür ederím.*

Comía y tomaba todo lo que le servían. No por hambre, sino porque las porciones eran tan chiquitas, tan lindas... y más que nada, por combatir el aburrimiento. Caminó a lo largo de los pasillos, envidiando a los niños pequeños que dormían tan a gusto... ¡Y aún faltaban horas de vuelo!

El asiento del papá quedaba en la parte delantera del avión. Él las visitó algunas veces, insistía en preguntarles si iban bien. Su hija le respondía:

—¡Sí, papito! ¡Perfecto!

Ramona era orgullosa, no quería reconocer que el viaje le resultaba muy pesado. Ya no sabía qué hacer con sus piernas, con sus brazos... Trataba de dormir, algo casi imposible, porque detrás venía una mujer que no paraba de hablar: ¡llevaba ocho horas hablando!

—Abue –dijo Ramona–, ya que hay tantas prohibiciones en el avión, ¿no habrá alguna contra el cotorreo crónico?

La abuela festejaba con risa las ocurrencias de su nieta. Ramona también se quejaba de los asientos estrechos y de esas almohaditas de la aerolínea, tan pequeñas, que no servían de mucho.

—¡Ah, mi almohada! –suspiraba a cada rato–. Debí guardarla en el equipaje de mano. ¡Qué bien me vendría ahora!

La señora le prestó la suya. Ya con dos mini almohadas, Ramona pudo acomodarse mejor y logró comenzar a dormirse. Cuando por fin iba profundizando en el sueño, su abuela tuvo que despertarla. En pocos minutos, aterrizarían en el aeropuerto de Barajas, en Madrid.

El próximo vuelo saldría cinco horas después. Pidieron algo en la cafetería del aeropuerto donde los precios eran irracionales. El papá, armado de buen café, se aisló en un rincón a trabajar con su computadora.

Ellas salieron a recorrer las tiendas libres de impuestos. Les sirvió de ejercicio y para comprobar que todo era muy caro. La señora compró dos botellitas de agua, una guía de Estambul... y también se aisló a leer.

Ramona quedó un poco a la deriva, arrepentida de no haber llevado sus copias con la información de Turquía que obtuvo por Internet.

—¡Internet! –exclamó, despertando de su modorra.

—Puedes ir a buscar –dijo la abuela–. Estamos en tránsito, éste es uno de los sitios más seguros del mundo, y tú ya sabes cómo cuidarte.

Ramona le preguntó a un guardia por servicio de Internet. Emplearía el tiempo que le restaba en escribir cartas a sus amigas, a su mamá, al abuelo... les contaría todo, todo. ¡Las horas se le harían pocas!

Planeaba leer algo nuevo acerca de Estambul... aún seguía confundida con tantos imperios: Romano, Bizantino, Otomano... ¡Uf! ¡Qué difícil de entender! Eso pensaba Ramona mientras caminaba hacia el local de las computadoras, hasta que entró y vio aquel cartelito sobre el escritorio de la empleada.

Servicio de Internet:

20 minutos = **3** euros

—¡Tres euros por veinte minutos! –exclamó Ramona, en voz alta, olvidando que estaba en España y que entendían su idioma.

La empleada levantó una ceja; y Ramona pagó con una sonrisa. Fue a la última computadora, quería tener privacidad. Le alegró encontrar su buzón lleno de mensajes titulados casi igual: "¡Feliz viaje!"

Escribió una carta a su mamá y otra al abuelo. Comprobó que en Estambul continuaba lloviendo... ¡y se terminaron los veinte minutos! Ramona había gastado los primeros tres euros de su vida.

Regresó lentamente. Miraba las tiendas donde no podía comprar nada, y observaba a la gente, tratando de adivinar de qué nacionalidad eran, adónde se dirigían... Su abuela la recibió con una sonrisa, pero de inmediato se puso seria, muy seria...

—¡Ramonina! ¿Y el tubo?

Ramona no esperó ni una fracción de segundo, giró sobre sus talones y corrió a toda velocidad. ¡Qué lejos le pareció la oficina del Internet! ¿Cien metros? ¿Doscientos? Entró como flecha sin detenerse hasta llegar a la última computadora...

—¿¡Dónde está el estuche!? –exclamó Ramona, mirando con desconfianza al señor que ya ocupaba ese equipo.

Antes de esperar respuesta, regresó al escritorio de entrada. La señorita, con una sonrisa, le preguntó:

—¿Buscas esto?

Ramona no sabía si abrazar a la muchacha o darle un beso al famoso estuche. Agradeció unas diez veces, y emprendió el regreso. Su cara le ardía. Caminaba lentamente con el fin de serenarse... y se repetía a sí misma:

"Todo está bien, no lo perdiste, calma, calma..." como solía decir el abuelo.

Pasó por la cafetería donde su papá continuaba enfrascado en la computadora. Ramona le dio una palmadita, y se detuvo unos segundos junto a él. Trató de que viera su hombro donde venía colgada aquella correa. Tal vez, para tranquilizarlo de que aquel tubo seguía en buenas manos.

El viaje de Madrid a Estambul fue más corto que el anterior. Ramona ya actuaba como una experta en aviones. Sólo que, nuevamente, no logró disfrutar bien la película: el respaldo de adelante se lo impedía. Mientras suspiraba, dijo:

—¡Ay! ¿Cuándo alcanzaré mi estatura definitiva? –Después de dudar un momento, se preguntó–: ¿No será que ya la alcancé?

Estambul

Aterrizaron en el aeropuerto de Atatürk a las cinco de la tarde; pero a Ramona le pareció que eran las cinco de la mañana. Entre la falta de sueño, el cambio de horario y tantas horas de vuelo, estaba realmente aturdida: los oídos le zumbaban, sentía el piso moverse igual que un barco...

Como ella se demoraba frente al espejo del baño, su abuela le dijo:

—Tu papá ya está formado en la fila de migración, ¡apresúrate!

—Sí, abue, voy enseguida.

—¡Cuida el estuche! —le recordó la señora antes de salir.

—Sí, por eso lo tengo aquí junto al espejo –contestó Ramona.

El papá enseguida preguntó por su hija. La señora dijo:

—Ya viene, está peinándose.

Sólo que Ramona no aparecía. Aquella fila avanzaba rápido, y la abuela no sabía si continuar allí o regresar por su nieta. Ya casi llegaban al puesto de migración, cuando la vio acercarse de lo más tranquila.

Aunque la señora veía mal de cerca, su visión de lejos era muy buena. Por más que se fijaba, no distinguía el famoso estuche rojo. Hasta que al fin las miradas se encontraron. La abuela señaló su hombro, con gesto de interrogación. Ramona abrió la boca, giró bruscamente sobre sus talones, ¡y regresó corriendo al baño!

En el mismo instante en que el funcionario de migración los invitaba a acercarse, llegó Ramona, agitada, con el estuche colgado de su hombro.

En cuanto recogieron el equipaje, Ramona le dijo a su padre:

—Papito, aquí tienes tu estuche –y con un suspiro, agregó–, ¡sano y salvo!

Mustafá, Yemile y el pequeño Kaira (un vivaracho de tres años) los esperaban con un hermoso ramo de flores. Ambos señores se fueron a buscar el auto, hablando en perfecto inglés. Ramona intentaba practicar su escaso inglés que traía aprendido; y la abuela el suyo que traía olvidado.

Aún así, era posible entenderse con una persona tan encantadora como Yemile. Ella les comentó que su hijito ya había aprendido a decir su primera palabra en español. A solicitud de su mamá, él pronunció:

—¡La-mona! —esperando aprobación con sonrisa traviesa.

—¿Eso significa...? —balbuceó Ramona, en español.

—¡Yes! —confirmó Yemile— *that means*: ¡Ramona!

El automóvil tomó por una avenida bordeada de tulipanes blancos, enseguida lilas, más allá naranjas... Ramona no lograba entender cómo aquellas flores tan especiales crecían en las calles, en los parques... ¡y con esa variedad y abundancia! Al ver su admiración, Yemile indicó las flores y dijo:

—*Tulip* –y le preguntó si sabía de dónde eran originarios–. ¡*From Holland!* –Contestó Ramona, en tono de: "Por supuesto, eso cualquiera lo sabe".

Yemile, comprensiva, le explicó que los tulipanes eran originarios de Turquía. Ramona se quedó con la boca abierta. Su padre la miró, mientras auguraba:

—Hija, todo indica que aprenderás mucho en este viaje.

Fue entonces, cuando vieron el agua. Iban por una avenida costera, separados de la orilla por unos cien metros de

césped y flores. Ramona preguntó, con timidez, si lo que veían era el mar de Mármara.

—¡*Yes, it is*! —dijo Yemile.

Mustafá se mostró sorprendido del conocimiento geográfico de Ramona. El papá, evidentemente orgulloso, le comentó que su hija era una gran lectora, que le encantaba investigar.

A la derecha de la avenida, podían apreciar los parques con pintorescos juegos para niños y, más allá, el Mármara con sus embarcaciones. A la izquierda, tenían la vista de la bella ciudad: alguna iglesia cristiana, alguna sinagoga y numerosas mezquitas que se anunciaban desde lejos con sus cúpulas y minaretes en forma de agujas.

¡Ramona no acertaba hacia dónde mirar! Quiso saber cuántas mezquitas había en Estambul.

Mustafá dijo que tal vez nadie las contó aún. El dicho popular era que existía al menos una en cada calle. Y primero se necesitaba saber cuántas miles de calles tenía esa ciudad poblada por quince millones de habitantes.

Todos soltaron la risa. Ramona continuó observando pensativa aquella ciudad donde no hallaba nada desagradable. Lo consultó con su abuela:

—Todo es tan hermoso, tan perfecto... ¿por qué será, abue?

—Observa —contestó la señora—. ¿Qué ves? O más bien: ¿qué no ves?

Y se quedó mirando a su nieta con ese clásico gesto de cuando la desafiaba a resolver acertijos.

—¡Mjh! No sé... —murmuraba Ramona, tratando de concentrarse al comparar Estambul con otras poblaciones que conocía.

La cara de interrogación de su abuela era un estímulo para continuar. Entonces, con cierta inseguridad, Ramona dijo:

—No veo ningún cartel de propaganda…

—¡Acertaste! –contestó su abuela–. ¡Ni un solo anuncio de esos que afean las ciudades!

—¿Y cómo lo consiguen, abue? –quiso saber Ramona, quien siempre quería saber.

—Son comerciantes de pura cepa –sostuvo la señora–. Seguramente, entienden que cuidar el aspecto de la ciudad, a la larga, reditúa más que las ganancias inmediatas de permitir instalar carteles.

Pronto se encontraron con las murallas medievales de la antigua Constantinopla. Esos muros, de los que sólo quedaban ruinas, fueron testigos de constantes invasiones y guerras entre germanos, persas, romanos, árabes, búlgaros…

Al acercarse a la zona de Sultanahmet, la emoción de los viajeros se multiplicó. Leían los carteles que anunciaban el Palacio Topkapi, el Gran Bazar, la Basílica de Santa Sofía, la Mezquita de Solimán… ¡Todo a unos pasos, a la vuelta del pequeño hotel en el que dormirían Ramona y su abuela!

El equipaje del papá quedó en el auto, porque más tarde sus amigos lo llevarían a la zona moderna de

Estambul, cruzando El Cuerno de Oro. Allí, abundaban las grandes cadenas hoteleras donde se organizaban congresos internacionales.

En cambio, ellas se hospedarían en pleno Sultanahmet, en el casco antiguo de la ciudad: ¡rodeadas de historia! Al entrar en el pequeño hotel, Ramona estrenó su primera palabra en turco:

—*Merhabá*.

El recepcionista le contestó en turco. Como ella no entendió nada, se limitó a sonreír. Mustafá propuso ir a pasear y luego a cenar. Ramona y su abuela fueron a instalarse, mientras los demás esperaban en la recepción.

Cuando Ramona vio aquella camita de verdad, toda blanca, tan suave, tan tentadora... su cuerpo le pidió echarse un clavado y no despertar hasta el día siguiente. La señora adivinó su intención, y le dijo:

—Sí, es muy sacrificado salir ahora: ¡estamos hechas papilla! Pero no podemos despreciar tan gentil invitación ni desaprovechar la primera tarde en Estambul.

Y todos salieron a caminar.

Mezquita azul

A cien metros del hotel, estaba el Bazar Arasta; atravesaron por su callejuela. Los señores caminaban rápido, enfrascados en la conversación. Hacía años que no se veían, desde que ambos cursaban el doctorado en Londres.

Ramona y su abuela se iban quedando atrás, luchando por no detenerse en los puestos del bazar. ¿Pero cómo permanecer indiferente ante semejantes tentaciones?: alfombras, almohadones, cerámica, chales, joyería típica... Todo gracioso, coqueto, rebuscado, exótico... ¡tan turco...!

Los vendedores eran muy experimentados, notaban de inmediato el interés de sus posibles clientes. Y no aceptaban fácilmente una respuesta negativa. Ramona tuvo la oportunidad de practicar las dos formas de decir "no" en turco:

—*Hayir* –decía al principio–. *Yok* –probaba después.

Y por si no le entendían, completaba la frase con alguna de las varias formas de decir "no, gracias":

—*Hayir, teshekkür ederím. Yok, mercí. Hayir, sagol…* –Aunque nada parecía desilusionar a esos mercaderes de reconocida estirpe. Ramona compensó sus constantes negativas, comprando algunas postales.

Le sorprendía que las mujeres cubrieran su cabeza con finos pañuelos de seda. Y además, que supieran usarlos con tanta gracia.

—¡Qué bonitas son las muchachas turcas! –le dijo Ramona a su abuela.

Yemile aguardaba con paciencia pocos metros más adelante, mientras sostenía de la mano al pequeño Kaira. Él aprovechaba bien la demora. Había llovido, y el piso del mercado brillaba con irresistibles charquitos que invitaban a chapotear.

Ramona fotografiaba esto y lo otro, aquí y allá: ¡hasta un gato que dormía la siesta sobre almohadones! Cuando llegaron al final del bazar, los señores estaban esperando. Todos subieron por las escaleras… ¡y allí, a sólo unos pasos… se encontraron con aquellos jardines!

¡Tulipanes y pensamientos de variados colores! ¡Cientos de flores, miles…! En un extremo, la famosa

Basílica de Santa Sofía con tintes de color rosa. En frente, la mezquita del Sultán Ahmet, mejor conocida como Mezquita Azul.

Atardecía. Por los altavoces de la gran Mezquita Azul, alguien llamaba a oración. Desde otra mezquita cercana, una segunda voz contestó a la plegaria. Y pronto se unió una tercera voz...

Resultaba imposible distinguir el origen del tercer sonido. Aquella hipnótica letanía a tres voces se diseminaba por la zona de Sultanahmet, parecía surgir del viento, de las piedras...

Yemile y Mustafá los invitaron a conocer el interior de la gran mezquita. Todos se quitaron los zapatos en la entrada. Ramona y su abuela se cubrieron la cabeza con sus chales. Pasaron junto a paredes enteramente revestidas por azulejos de vivo color azul.

Por dentro, las bóvedas eran una sinfonía de azulejos de los más diversos diseños. Ramona observaba cada detalle: las inscripciones en letras árabes, aquellas lámparas que colgaban como estrellas, el exquisito tallado en madera y mármol con esa filigrana parecida al tejido de un encaje.

Le llamó la atención que las alfombras fueran rojas. Quiso saber por qué no estaba alfombrado en azul, pero calló por respeto a las personas que rezaban.

La abuela, que a veces parecía adivinarle el pensamiento, se encogió de hombros, y le señaló en silencio los vitrales donde dominaba el color azul que filtraba la tenue luz de la tarde.

Cuando salieron, anochecía. Avanzaban rodeados por jardines, hasta que Ramona giró para mirar el exterior de la mezquita, ya iluminada, recortarse contra el fondo azul del cielo. Se quedó quieta, estática… ¡Jamás había visto algo tan bello ni un cielo tan intensamente azul!

La magnífica vista pronto se completó con movimiento. Una paloma blanca apareció revoloteando entre las cúpulas y los minaretes… Sus plumas brillaban con el reflejo de la iluminación y se tornaban más contrastantes aún en aquel cielo increíblemente azul.

Llegó otra paloma, otra… y otra más… Ramona parecía petrificada. Deseaba guardar ese momento, conservarlo en su memoria… ¡No se movía de allí, no escuchaba a nadie!, ni siquiera a su abuela.

—¡Vamos, Ramonina! Están esperándonos.

Yemile y Mustafá sonreían. Explicaban que el restaurante donde iban a cenar quedaba al cruzar la calle. Tenían reservada una mesa junto al balcón, continuarían disfrutando la misma vista de la Mezquita Azul.

Ramona no se enteraba de nada. Seguía absorta, intentando atrapar aquella imagen, deseando grabarla en su mente; así, nadie jamás podría arrebatársela.

Entonces, el papá al ver a su hija tan embelesada, preguntó:

—¿Acaso, hay por aquí una muchachita a quien no le interesaba conocer Estambul?

Desayuno turco

De regreso al hotel, la abuela preguntó por el horario del desayuno. El recepcionista dijo que había servicio desde muy temprano: siete de la mañana. Y ella, en su mal inglés, pidió que la despertaran a las seis.

—¡¿A las seis?! —reclamó su nieta.

Y mientras se encaminaban al cuarto, la señora hacía cuentas:

—De seis a siete, organizamos nuestras cosas y subimos a desayunar. A las ocho, ya podemos salir a conocer algo.

Ramona no estaba muy de acuerdo con los planes de su abuela. Ella quería dormir de un solo tirón casi el mismo tiempo que llevaba despierta: ¡cómo treinta horas!

La señora aseguraba que levantarse temprano era el mejor método para enfrentar rápidamente el cambio de horario. También dijo:

—Hay mucho que ver en esta ciudad, y disponemos de poco tiempo.

Al observar falta de entusiasmo en su nieta, agregó:

—Ramonina, los viajes se deben aprovechar al máximo; lo sé por experiencia. El cansancio y los pequeños sacrificios se olvidan pronto, en cambio, lo que llegas a conocer no se te olvida jamás.

Y tomó el primer turno de bañarse.

Ramona se dedicó a desempacar su piyama, su almohada... a mirar postales y consultar la guía de Estambul, con la intención de no quedarse dormida. Al ver a su abuela salir en camisón del baño, quiso saber:

—¿Por dónde empezamos, abue?

—¡Por dormir! –dijo la señora, riéndose, y enseguida contestó:

—Mañana, ya descansadas, será más fácil decidir mientras desayunamos. Aunque seguramente, dependerá más del clima que de nuestra voluntad.

Tempranísimo, aún oscuro, despertaron con el llamado a oración de la Mezquita Azul. El día estaba frío y lluvioso, ¡muy lluvioso!

Ramona amaneció llena de energía, ávida por conocer Estambul. Desempacó lo que aún quedaba en su maleta. El cuarto era extremadamente pequeño, aun así, logró guardar sus cosas de manera que no le molestaran a su abue ni tampoco a la camarera.

Como fue la primera en estar lista, Ramona se adelantó hasta la terraza donde funcionaba el comedor. En un ángulo de la escalera, encontró una diminuta repisa que albergaba cierta lámpara antigua.

—¡La lámpara de Aladino! —exclamó Ramona.

Y de inmediato la tomó en sus manos. Pesaba muchísimo, era de bronce bellamente tallado. Ramona se disponía a frotarla, igual que lo haría cualquier persona con imaginación al encontrar esa lámpara. Aunque antes se detuvo a pensar:

—"Si sale el genio... ¿qué le pido...? Mi mayor deseo era viajar a Turquía: ¡y ya estoy aquí!" Además, ¿qué hago con él? ¿Lo invito a desayunar? ¿Y si después no quiere irse...? ¡Me complicaría el viaje!

Sin dudarlo más, Ramona dejó aquella lámpara en su lugar, cuidando de no frotarla accidentalmente. Continuó subiendo por la escalera alfombrada cuya madera crujía bajo sus pasos.

Nadie se hallaba en el comedor, ni siquiera empleados. El solitario bufete desayuno ya estaba impecablemente servido. Desde el diminuto balcón, un gato vigilaba.

Todas las paredes eran de vidrio. La terraza parecía una gran pecera, sólo que al revés. Por fuera, corría el agua de lluvia; por dentro, se gozaba de clima tibio y seco. Ramona se había adelantado con la intención de apartar la mejor mesa, ¡pero no sabía cuál elegir!

Al Norte, la vista daba al típico barrio de Sultanahmet. Al Sur, muy cerca, se veía el mar de Mármara con sus embarcaciones como flotando entre la niebla.

Al Este, en primer plano, se erguía imponente la Mezquita Azul, ¡daba la impresión de que se podía tocar! Y al Oeste, asomaban los techos de teja, relucientes por la lluvia, donde anidaba una magnífica gaviota mientras otras en su vuelo casi rozaban los cristales de aquella terraza.

Ramona comenzó a girar como bailarina, siempre le ocurría lo mismo cuando era incapaz de tomar una decisión. ¡Y vaya que era indecisa!

De pronto, escuchó pasos en la escalera… Y rápidamente, eligió la mesa más céntrica de aquel comedor. Así, podría ver todo, todo…

Desayuno turco

❀ Huevo tibio con cáscara

❀ Queso rebanado de cabra

❀ Aceitunas verdes y negras

❀ Tajadas de tomate y de pepino

❀ Delicioso té (*chai*) muy caliente

❀ Pan, mantequilla, miel y mermelada

Menú invariable

El señor que las atendía se llamaba Atif. Hablaba un inglés parecido al de la abuela, nada más que con acento turco.

Les aconsejó visitar primero la Basílica de Santa Sofía. Dijo que era lo ideal en esa mañana lluviosa, quedaba muy cerca. También les indicó qué camino seguir para atravesar por el Hipódromo Romano; así, conocerían el Obelisco Egipcio y otros monumentos históricos.

Atif dijo que Santa Sofía era inmensa, estarían bajo techo al menos una hora. Él pensaba que a media mañana, probablemente, ya no llovería. Y terminó declarando, con resignación, que así era el clima de Estambul.

—*Teshekkür ederím* —agradeció Ramona, a la vez que salía del comedor con su abuela.

Atif las despidió con una gran sonrisa.

Santa Sofía

En algunos carteles de la entrada se podía leer: *Hagia Sophia*; en otros: *Haya Sofya Müzesi*. Pero en las guías, folletos y postales de Ramona, el significado era siempre el mismo: "Sabiduría divina". La historia tampoco variaba; todos coincidían en que era la obra más grande y sagrada del Imperio Bizantino.

—Santa Sofía funcionó como iglesia católica durante casi mil años –leía Ramona–. Luego le agregaron los cuatro minaretes y otros detalles con el fin de adaptarla como mezquita. Y a mediados del siglo XX, la destinaron a museo.

—¡Pobre edificio! –observó la abuela.

—Sí –dijo Ramona–. ¡Sólo le falta convertirse en mercado!

Después de pagar la entrada, atravesaron por un patio rodeado de pequeñas zonas con flores y el infaltable gato.

Los turistas ingresaban por la Puerta Imperial, la entrada que el Emperador Justiniano reservó exclusivamente para él cuando hizo construir esa gran Basílica. Aquella entrada también era conocida como Puerta del León, por un mosaico agregado más tarde que representaba a León IV postrado ante Cristo.

Hacia allá, se encaminaron abuela y nieta en medio de una fuerte lluvia. Ramona se detuvo al llegar, obstruyendo la entrada. No se atrevía a pisar aquel escalón de mármol blanco: ¡lo sabía impregnado de historia!

¡Atravesarlo, era transitar por uno de los lugares más importantes de la antigua Constantinopla! Sus zapatos ocuparían el sitio que ocuparon las sandalias del Emperador...

El espacio era el mismo... Su emoción, quizás, se parecía a la de Justiniano cuando entró por primera vez a su Basílica ya terminada. Ramona pensaba que la única diferencia consistía en aquella separación de quince siglos...

Varios turistas esperaban detrás, mojándose bajo la lluvia, hasta que alguien impaciente empujó a Ramona. De pronto, ¡se encontró adentro!, sumergida en aquella grandeza...

La conocía tanto: por libros, Internet, documentales de viaje... que cuando finalmente esa joya de la cristiandad estaba frente a sus ojos, a su alcance... cuando podía oler aquellas paredes, tocarlas... le parecía irreal.

—¡Pellízcame, abue! –pidió Ramona.

En lugar de pellizcarla, su abuela la llevó del brazo a ver una gran pila bautismal en forma de copa. Había dos, una a cada lado de la entrada, eran de mármol levemente amarillento. La señora se preguntaba si estarían esculpidas en un solo bloque, entonces dijo:

—Necesitamos un guía.

El cuadro más visitado y fotografiado por los turistas, era un gran mosaico del siglo XI, que representaba a Jesucristo entre Constantino IX y su esposa Zoé.

En cambio, muchas pinturas de ángeles y santos apenas lograban distinguirse. Durante siglos, permanecieron cubiertas con estuco. Posteriormente, fueron recuperadas. Aún así, se podía apreciar el empeño y la religiosidad de aquellos artistas al concebir esas obras.

Ellas se arrepentían de no haber contratado alguien que las guiara. Cuando de pronto, escucharon hablar en su idioma. Era un grupo de españoles. Abuela y nieta se miraron. Ambas alzaron las cejas sin decir

nada y, con sonrisa pícara, ¡se mezclaron entre el grupo! El guía explicaba:

"La construcción comenzó en el año 532 y finalizó en el 537. La planta es un rectángulo casi cuadrado: setenta y siete metros por setenta y uno. La cúpula tiene treinta y dos metros de diámetro, está a cincuenta y seis metros de altura desde el suelo y la sostienen..."

—¡Ya! –dijo Ramona, disimulando su voz.

—¡Basta! –completó la señora, sin disimular nada.

Y se fueron, felizmente solas a explorar rincones ocultos. Ramona y su abuela eran grandes lectoras, si les faltaba alguna información sabrían donde buscarla más adelante.

En esa breve visita, ellas perseguían otro objetivo: conservar una experiencia que perdurara por siempre...

Aquello que sólo podían encontrar en ese lugar: la sensación de estar presente... el asombro al descubrir Santa Sofía con una nueva mirada.

Ramona iba más lejos aún. Quería indagar algún misterio, aunque fuera pequeño, pequeñito... Ese hallazgo sería su propia constancia de haber entrado allí...

Observó a su alrededor los pisos gastados por siglos de caminantes... la luz que caía de manera tan especial por esos altos ventanales, resaltando el brillo del oro en la decoración...

De pronto, Ramona detuvo su mirada sobre aquellos grandes medallones con inscripciones en letras árabes. Eran mundialmente famosos, pero en ninguna fotografía se apreciaba de qué material estaban formados.

—¡Los discos! –exclamó Ramona.

Buscó a su abuela, y le dijo atropelladamente:

—¡Subo a la planta alta, abue! ¡Tengo que verlos de cerca! –Y salió sin esperar respuesta.

La señora comenzó a preocuparse. Si bien era un lugar muy seguro, con muchos guardias... esa planta alta era... ¡altísima!; y aquellos palcos, muy viejos... ¡viejísimos! Y su nieta iba demasiado emocionada... podía cometer alguna imprudencia... Trató de alcanzarla... era imposible.

Ramona caminaba rápido, aunque sus pasos pronto dejaron de ser ágiles. Aquella construcción bizantina ¡no tenía escalones! Se subía por una empinada rampa de piedras resbalosas, pulidas por millones de pisadas. Recordó haber leído que originalmente se cabalgaba hasta la planta alta.

—¿Por qué andarían a caballo en una iglesia? –se preguntó Ramona.

Su abuela iba siguiéndola detrás. Luego de varios metros de caminata forzada, la señora comenzó a sentir falta de aire. Se detuvo un momento, molestando a los turistas que subían.

Continuó cada vez más agitada. En algún recodo, vio un nicho de su altura, exacto a su medida. En ese espacio, descansaría sin molestar a nadie. Entró allí. Se quedó muy seria, quietecita; tratando de pasar inadvertida mientras recuperaba el aliento. Únicamente su falda larga asomaba fuera del nicho.

Al toparse con ella, algunas personas demostraban sorpresa; otras reían. Alguien la miró con gesto de reproche, como si estuviera profanando un sitio sagrado. Y los excursionistas japoneses se detuvieron a tomarse fotos con "Abuela en nicho".

Ramona, allá arriba, se frotaba las manos, dando volteretas. Recibió a su abuela con una gran sonrisa, a la vez que decía:

—¡Abue, cuánto demoraste! ¡Ven, ven! ¡Mira lo que descubrí!

La señora pensaba reprender a su nieta por haberse alejado sin esperar consentimiento. Nada más que al verla tan feliz, no quiso interrumpir su entusiasmo, y decidió postergar el reproche.

—¿Sabes de qué material armaron estos discos? –preguntaba Ramona, mientras conducía a su abuela hacia un ángulo de la gran galería.

—Ni la menor idea –contestaba la señora.

—¡Mira, abue! –dijo Ramona, triunfante–. ¡Son de madera! –Y le mostró la parte trasera de aquel enorme medallón, donde se notaban las uniones de las tablas y los tirantes de refuerzo.

La señora festejó el descubrimiento, y como tampoco quería ser menos en hallazgos, le hizo observar a su nieta otros detalles interesantes; entre ellos, los diferentes tonos de mármol en pisos, paredes…

Sobre todo, prestaron atención a las columnas que sostenían las galerías laterales. Muchas de ellas aún mostraban capiteles finamente tallados con motivos geométricos y vegetales: ramas, hojas, tulipanes…

De pronto, Ramona preguntó:

—Abue, ¿sabes, exactamente, dónde estoy parada?

La señora, tratando de ser paciente, dijo:

—Estás en la galería alta, frente al altar mayor.

—¡Exacto! –exclamó Ramona, dándose aires de princesa– ¿Y quién escuchaba misa desde este exclusivo palco que yo ocupo ahora?

—Ni idea –contestó la señora.

—Nada más y nada menos, que... ¡la emperatriz Teodora, la esposa de Justiniano!

Como la señora se burló por tanta pose; Ramona trató de justificarse:

—¡Ay, abue!... Es que... ¡todo es tan especial!

Entonces, su abuela la miró con ternura. Le dio un beso y le dijo:

—¡Ramonina! ¡Especial, eres tú!

Paseo por el Bósforo

Cuando Ramona y su abuela salieron de Santa Sofía, era media mañana y sólo lloviznaba. Después de consultar el mapa, decidieron caminar hasta el Museo de Antropología que estaba junto al Palacio Topkapi.

—Debemos movernos rápido –decía la señora–. Tenemos que recorrer dos museos, comer algo, y llegar al puerto antes de las tres.

—¡Hay mucho tiempo! –aseguraba Ramona–. Todo queda cerca.

Y sí, la distancia era corta y las horas por delante parecían largas. Pero aquellos metros que separaban un sitio de otro estaban repletos de restaurantes, cafecitos con música turca, puestos de artesanías… ¡muchísimas tiendas con lo más variado y bonito que puede existir!

—¡Mira esas lámparas, abue! –decía Ramona.

—Caftanes de algodón! –exclamaba la señora, con deseos de comprar en ese momento.

Prometieron no hacer compras, cualquier bulto les molestaría por el resto del paseo. Claro, que nada les impedía mirar: ¡Y vaya que miraron! Tanto, que en ese pequeño trayecto, tardaron más de media hora.

El Museo de Antropología les resultó un fantástico deambular por la historia. Ramona brincaba como pajarito de un sitio a otro, y hasta se tomó fotografías junto al modelo en tamaño natural del Caballo de Troya.

Sin detenerse a descansar, salieron rápidamente de un museo y se dirigieron al otro.

Al ingresar al Palacio Topkapi por aquella gran entrada con forma de castillo, de inmediato, Ramona se sintió princesa. Caminaba rodeada por jardines llenos de tulipanes, jacintos… y el gato sobre un pedestal de piedra tallada.

Trató de imaginarse al imponente sultán dominando todo con su presencia, a la familia imperial paseando entre esos edificios fastuosos. Le parecía ver a los niños jugar, a las odaliscas ir y venir con su atuendo llamativo…

—¿O tal vez no salían del harem? —dudaba Ramona.

La señora se entretuvo admirando las joyas de la corona, le atrajo una pomposa cuna forjada en oro macizo con incrustaciones de piedras preciosas.

—¡Mira, Ramonina! Aquí era donde presentaban oficialmente a las princesas y príncipes al cumplir un mes de nacidos.

—¡Se nota muy incómoda! —observó Ramona, en actitud crítica. Y con un suspiro, agregó—. ¡Pobrecitos bebés de la realeza!

Las terrazas del palacio contaban con una vista espectacular. Según la ubicación, variaba el paisaje de los jardines; pero siempre se podía apreciar aquel marco azul de agua.

Ramona tenía la sensación de estar en una isla. Consultó el mapa, situándose al menos en tres puntos cardinales de la histórica península. Entonces, le dijo a su abuela:

—En la terraza anterior, lo que vimos a la derecha fue el Mar de Mármara. El agua que asoma a la izquierda corresponde al Cuerno de Oro. Y lo que tenemos exactamente enfrente es, nada más y nada menos que... ¡el famoso Estrecho del Bósforo! Por el cual, navegaremos esta tarde.

—Si es que nos damos prisa –recordó la señora.

—Tienes razón, abue. Además, ¡me muero de hambre!

—¡Y mis pies necesitan una silla, ahora mismo! –dijo la señora.

Ante aquellas urgencias, tomaron la decisión de comer en la cafetería del Palacio invadida por turistas. Se ubicaba al aire libre: bajo los árboles, junto al parque imperial, frente al mar y el cielo azul.

Al ver que la abuela debía sentarse cuanto antes, Ramona le pidió apartar mesa mientras ella se formaba en una larga fila. Cuando regresó, dijo:

—¡Carísimo! ¡Todo carísimo, abue! ¡Mira lo que traje y cuánto pagué!

—Ramonina, disfruta la ocasión –aconsejó la abuela–. Si lo asumes como el costo de los alimentos, vas a indigestarte. Mejor, piensa que pagamos por el privilegio de comer en un balcón del Palacio Topkapi, en la confluencia de tres históricos afluentes de agua, ¡en medio de dos continentes!

La tarde lucía espléndida. Se encaminaron hacia el puerto de Eminonü, adquiriendo algunas postales que les salían al paso.

—Me parece que es más lejos de lo que se ve en el mapa —dijo Ramona.

—Ya caminamos más de la mitad del trayecto —observó la abuela.

¡Y decidieron continuar a pie!

El puerto gozaba de intensa actividad. Se detuvieron a comprar una rosca de pan con semilla de ajonjolí: *simit*. Tenían entendido que las gaviotas pescaban al vuelo los trozos de esa típica rosquilla que los turistas lanzaban desde cubierta.

¡Por fin, se embarcaron! Durante casi dos horas surcarían el legendario Estrecho del Bósforo, el punto de contacto entre el Mar Negro y el Mar Mediterráneo.

Lo primero que buscó la señora fue una larga banca desocupada donde subir sus pies inflamados, sin molestar a nadie. Lo segundo fue pedir *chai*; por las prisas, salieron de la cafetería del Palacio sin tomar nada caliente.

Ramona, en vez de tomar té, tomaba fotos: primero del puerto, de la multitud, de las embarcaciones. Después que partieron, salió a cubierta para fotografiar las costas con sus viviendas de madera, castillos de piedra, palacios, parques, colinas...

El barquito avanzaba con suavidad, apenas se notaba el oleaje. A la izquierda, quedaba la zona europea de Estambul; a la derecha, la zona asiática. De vez en cuando, Ramona regresaba al interior y decía:

—¡Qué emoción, abue! ¡Navegamos entre dos continentes!

Llegaron al segundo gran puente que unía la zona europea de Estambul con la asiática. En vez de cruzar por debajo, como en el puente anterior, la embarcación se detuvo cerca de algunas lanchas con pescadores en plena faena.

Las gaviotas revoloteaban alrededor. La abuela dejó la comodidad de su banca, y salió a cubierta armada del *simit* mientras le pedía a su nieta:

—¡Ramonina, prepara la cámara! Toma fotos del momento en que las aves se aproximen a cazar el pan en pleno vuelo.

La abuela cortó trocitos de *simit* que arrojaba al aire, con todas sus fuerzas, cuando se acercaba alguna de aquellas gaviotas. Lo intentó una vez, dos, tres... ¡nada!

—Tal vez, no es la hora o el lugar adecuado –insinuaba Ramona.

La señora continuaba insistiendo, sin éxito, ¡sin ningún éxito! Las aves volaban casi rozando la cubierta, pero no demostraban ni el menor interés en aquellos trozos de pan. Ramona, ya cansada de seguir en posición incómoda, enfocando aquella escena que no se concretaba, y quizás nunca se concretaría, exclamó:

—¡Ay, abue! ¡Con tanta pesca alrededor… cómo crees que las gaviotas van a preferir un triste pedazo de pan, a cualquier rico pececito en su jugo!

Algunas personas de la cubierta, soltaron la risa. Ramona se quedó pasmada, totalmente sorprendida. Y su abuela dijo:

—¡Vaya! ¡El español se entiende por aquí más de lo que pensábamos!

El barquito giró y emprendieron el regreso.

Al acercarse nuevamente al muelle, los recibió la vista de la preciosa Mezquita Nueva que se alzaba imponente detrás del puerto. Más allá, muy cerca, distinguieron la cúpula y los minaretes de la gran Mezquita de Solimán.

Eran casi las cinco de la tarde. Ramona y su abuela sólo llevaban veinticuatro horas en Estambul.

Danza de los Dervishes

Junto al puerto de Eminonü, tomaron el tranvía de regreso a Sultanahmet. En cuanto entraron al hotel, Ramona saludó:

—*Merhabá*.

Y de inmediato le informaron que su padre había llamado tres veces. La abuela continuó sin detenerse. Necesitaba quitarse los zapatos y subir muy alto aquellos pies inflamados.

Después de comunicarse con el papá, Ramona fue a la habitación, y le dijo a su abuela:

—Mi papi quiere que nos encontremos con él en Beyoglu. Nos invita a cenar y a conocer la parte moderna de Estambul.

—¡Yo no me muevo de aquí! –declaró la señora–, ¡no puedo dar un paso más!

Ramona llamó nuevamente a su padre, esta vez desde el cuarto:

—A mi abue, ya no le calzan los zapatos –dijo con resignación–. Caminamos tanto, que ahora sus pies están gordos como empanadas.

El padre explicó que en la plaza del Taksim nacía una estupenda calle peatonal: Istiklal Caddesi, con montones de tiendas y zapaterías.

—En esa avenida comercial, pueden comprar zapatos cómodos –insistía el señor. Y completaba–: cierran tarde: ocho, nueve de la noche.

Pero la señora estaba firme en su decisión de no volver a caminar ese día.

Y se quedaron.

A pesar de largo tiempo con piernas levantadas y compresas frías, los pies de la abuela seguían inflamados, muy inflamados. Únicamente, logró calzarse pantuflas; nada más.

Llegó la hora de cenar. No quedaba otra solución que salir ¡en pantuflas! La falda larga ayudaba un poco a ocultar aquel excéntrico calzado. Al pasar por la recepción del hotel, Ramona descubrió folletos que anunciaban una función de música Sufí con la famosa ceremonia de los Dervishes.

—¡Son los bailarines que giran, abue! –exclamó Ramona–. Si no vamos hoy, nos quedamos sin verlos.

Y sí, la noche siguiente partirían en autobús hacia Capadocia. Aquella era la última oportunidad de presenciar ese espectáculo, al menos en el marco de Estambul.

—¡Hay tiempo de llegar, abue! –dijo Ramona–, podemos cenar a la salida.

—¿¡Cómo voy a presentarme en pantuflas!? –se quejó la señora–, yo que empaqué ropa bonita y zapatos de tacones, pensando en esta ocasión tan especial.

El recepcionista explicó que los turistas asistían con ropa muy informal, y que el público permanecía a oscuras porque únicamente iluminaban el lugar del espectáculo.

También agregó que estarían cómodamente sentadas. Hasta se ofreció a reservar las butacas por teléfono y llamar un taxi, porque nuevamente llovía.

¡Y convencieron a la abuela! Enseguida, ella dijo:

—Todavía no llamen el auto, debo subir a la habitación.

A los cinco minutos, bajó luciendo collar y un largo abrigo negro que rozaba sus pantuflas.

—¡No traje este abrigo a pasear! –se justificó la señora–, alguna vez debo usarlo.

Y partieron en taxi. Ramona iba con la misma ropa de la mañana. La abuela, en cambio, lucía muy elegante (de los tobillos hacia arriba).

El teatro era circular. Funcionaba en un edificio de gruesos muros y entradas con arcos medievales. Estaba al máximo de público. Sólo quedaban dos butacas vacías: las reservadas para Ramona y su abuela.

La luz rojiza bañaba el centro del recinto, iluminando levemente a la orquesta. Seis señoritas interpretaban música antigua, enigmática; como extraída de lo más recóndito de la tierra... flauta, percusiones, voces en coro...

Al cabo de varias melodías, la orquesta se retiró.

Aparecieron cuatro jóvenes con sombreros en forma cilíndrica y mantos oscuros que cubrían casi totalmente sus togas blancas. Traían una piel de cordero que extendieron, representando un ritual. Se arrodillaron en el suelo. Permanecieron cabizbajos, estáticos con los brazos cruzados sobre su pecho.

Llegó otra orquesta. Una voz varonil comenzó a entonar cierto himno místico, con reminiscencias campesinas. Pronto, se escucharon suaves percusiones de tambores y se unió un dulce sonido de flautas, casi celestial.

Los bailarines comenzaron a incorporarse: primero uno, luego otro, otro y otro. Despojados de sus mantas oscuras, se inclinaban, saludándose entre sí, como pidiendo permiso... rotaban de lugar: todos frente a todos.

Ramona nunca supo cuando comenzaron a girar. Tal vez ella había pestañeado, o el inicio fue tan sutil que nadie lo notó. Los brazos iban en alto: una mano hacia arriba, otra hacia abajo... la cabeza, inclinada, los ojos cerrados...

Las togas de los danzantes eran blancas, igual a un vestido largo y ancho. Sus dobladillos se alzaban con el movimiento continuo de esos giros hipnóticos.

Ramona trataba de entender qué simbolizaba aquello. Recordó fragmentos: "la mano derecha se abría al cielo para recibir lo divino; la izquierda se inclinaba hacia abajo con el fin de entregar al mundo lo que recibía de Dios".

—¿Y los giros en sí, qué significan? –se preguntaba en silencio.

—¿Es el movimiento como principio de la vida? –se exigía Ramona, intentando recordar lo leído.

Y los Dervishes continuaban girando al compás de aquella música sublime, en ese espacio pequeño, con los ojos cerrados, sin tocarse nunca... sin tropezar jamás unos con otros... Tal vez, imitando el trayecto de los planetas, estrellas y constelaciones en su perpetuo viaje hacia el infinito. O simplemente, giraban en busca de su propio yo íntimo, de la esencia divina que moraba en su interior...

Cisterna de Yerebatán

Después de disfrutar el segundo desayuno turco en Estambul, Ramona y su abuela salieron muy temprano a la calle. La mañana era espléndida, y los pies de la señora ya habían aceptado, a regañadientes, calzarse zapatos.

Ellas atravesaron por el Bazar Arasta, esquivando a los simpáticos e insistentes vendedores que les salían al paso ofreciendo sus productos. Las calles de Sultanahmet lucían coloridas y bulliciosas, repletas de turistas.

Ramona fotografiaba todo, especialmente tulipanes, artesanías y gatos.

—¿De dónde salió tanta gente? –preguntaba la señora.

—¡Es que por fin no llueve, abue! –decía Ramona.

Se propusieron caminar menos que el día anterior por consideración a ciertos pies que reclamaban prudencia. La cisterna de Yerebatán quedaba muy cerca, junto a Santa Sofía.

Ramona leyó que era el principal de los numerosos depósitos de agua subterránea construidos en el siglo sexto por el Emperador Constantino el Grande.

Las cisternas se utilizaron durante todo el Imperio Bizantino. Cada entrada se mantuvo oculta, con la intención de que los enemigos no envenenaran el agua de la ciudad.

Tanto se guardó el secreto, que cuando los otomanos tomaron Constantinopla, no conocieron de inmediato la existencia de aquellas importantes reservas de agua. Algunas, como la de Yerebatán, tardaron un siglo en ser descubiertas.

La primera impresión de Ramona al entrar en las antiguas bóvedas fue el contraste con el exterior. Desde el inicio de los escalones, se perdió la luminosidad, el bullicio y la tibieza de la calle.

Al descender por esa larga escalera, sintió el olor a piedra húmeda, la sensación de penetrar bajo tierra a través de un escondite resguardado por siglos.

La señora se apoyaba en el brazo de su nieta, temía resbalar en aquel piso mojado por las filtraciones que caían gota a gota. Cada tanto, recomendaba:

—¡No se te ocurra alejarte, Ramonina!

Y la nieta respondía:

—¡No, abue! Tranquila, que vamos juntas.

Un rayo de luz rojiza surgía por la base de cada columna y trepaba hasta los arcos de ladrillos, intensificando sus tonos naturales. El panorama completo se duplicaba en el reflejo del agua, y producía una atmósfera casi irreal.

Al avanzar en aquella extraña semioscuridad, escuchaban el murmullo de las goteras en combinación con música clásica, muy tenue, acorde con el mágico entorno.

Trescientas treinta y seis columnas se erguían como un bosque marino. Ramona y su abuela caminaban calladas. Tal vez, les parecía que ninguna voz humana era merecedora de sonar allí.

Pero el trabajo elaborado de los capiteles, en lo alto de las columnas, generaba comentarios en ciertos visitantes:

—¿Por qué desperdiciar tanto arte en un lugar destinado a permanecer escondido bajo agua y bajo tierra? –preguntaban algunos.

—¡Esas dos columnas de mármol verde seguramente costaron una fortuna! –decían otros, mientras introducían sus dedos en las perforaciones de la piedra.

Ramona descubrió los peces. Se movían cadenciosamente, al compás de aquella música suave en la escasa agua que conservaba la cisterna. El fondo estaba cubierto por monedas que arrojaban los turistas.

—¿Ese dinero será para que los peces salgan a comprar comida? –preguntó Ramona en voz baja–. No sé qué coman aquí, los pobrecitos ¡ni algas tienen!

El rincón más fotografiado de la cisterna se encontraba al final. Eran dos enigmáticas columnas, sostenidas por grandes bloques de mármol tallados, que representaban la cabeza de Medusa.

Lo más intrigante consistía en la posición de aquellas cabezas. Una recargada sobre la mejilla, de lado; y la otra apoyada sobre la frente, ¡cabeza abajo!

Muchos visitantes opinaban acerca de esa incongruencia. Con prestar un poco de atención, se podían escuchar las teorías más disparatadas.

Algunas personas decían que la cisterna se había construido con desperdicios de templos griegos, que cuando colocaron esos bloques, a nadie le importaban; pues serían cubiertos por ocho metros de agua.

Otros aseguraban que aquello fue deliberado, con la intención de aplastar el maleficio de Medusa. Y otros más creían que se trataba de un simbolismo, que ése era el altar en honor a las ninfas de las aguas.

Y no faltaba el chistoso que prefería simplificar la explicación, en voz alta; así todos a su alrededor podían escuchar:

—¡Los constructores romanos colocaron ese enigma imposible de resolver, sólo para burlarse de las generaciones futuras! –afirmaba el ingenioso–. ¡Y lo han logrado!

Como Ramona no pretendía descifrar aquella incógnita, únicamente se le ocurrió tomar fotos. Quería conservar un testimonio de su presencia en aquel fantástico lugar.

La señora se inclinó con el fin de tener un recuerdo junto a la primera Medusa, en su misma posición: de lado. La nieta tomó la fotografía y le pasó la cámara a su abuela.

Ramona no podía ser menos: ella también necesitaba plasmar aquel momento de manera original. Entonces, hizo acrobacia y media, hasta que logró ubicarse junto a la otra Medusa, casi en igual posición: ¡cabeza abajo!

Helado turco

Cuando Ramona y su abuela salieron de Yerebatán, era casi media mañana. Sultanahmet continuaba luminoso, lleno de vida.

Caminaron hacia el Gran Bazar mientras disfrutaban las callejuelas empedradas de la ciudad vieja. ¡Todo Estambul se podía considerar un gran museo al aire libre! En cada recodo, se topaban con huellas de historia, con exquisitos diseños en arquitectura, carpintería, cerámica…

El Gran Bazar honraba su nombre: ¡era realmente grande! Tanto, que ellas no sabían por dónde comenzar a recorrerlo. El bullicio, la actividad y los estímulos visuales resultaban tan frenéticos que mareaban. La señora exclamó:

—¡Nunca en mi vida había conocido un mercado de semejante tamaño!

Pronto se sintieron abrumadas por la insistencia de los vendedores, ambas prefirieron alejarse. La abuela únicamente compró un chal. Ramona, algunas postales y un gorrito turco que estrenó de inmediato.

El Bazar de las Especias era más pequeño, más cálido; aunque también de arquitectura muy antigua, con arcos finamente tallados en abanico. Resultaba una fiesta de color: dulces, frutos secos, hierbas medicinales, té de cualquier tipo y, por supuesto, especias; ¡muchas y variadas especias exhibidas con imaginación!

Ramona fotografiaba techos, lámparas, puestos, vendedores, a su abuela comprando, a los gatos dormidos y a los despiertos...

La señora miraba aquellos pistaches, sin saber de cuáles llevarle al abuelo. Luego de probar uno de cada variedad, se decidió por los rojos. El sabor era muy especial, resultaría un regalo único. En otro puesto, compró *chai*. También se armó de nueces y dátiles a granel en una simple bolsa de plástico.

—¿Y eso? –preguntó Ramona.

—No son regalos –respondió la abuela–. Hay que tener algo nutritivo por si nos extraviamos en el desierto de Capadocia.

Ambas rieron por la ocurrencia.

Ramona compró varias cajitas de dulces típicos elaborados con nueces, almendras y pistaches de diferente tipo. La primera caja era destinada a su mami, la segunda a su abuelo, la tercera a su primo… otras las repartiría en su salón de clases…

—¿No te estás olvidando de ti? –preguntó la señora, cuando ya salían del mercado.

La nieta se detuvo un momento pensativa, ¡y giró sobre sus talones! A los pocos minutos, regresó con una nueva foto en su cámara y con una gran caja de *backlava*, los deliciosos pastelitos turcos de miel y pistache que le habían fascinado.

Pasaron rápidamente por el hotel a dejar sus compras. Ramona, algo preocupada al ver tantos bultos, exclamó:

—¡Ay, abue! ¿No faltará espacio en las maletas?

—¡No! –contestó la señora–. ¡Tenemos una maleta grande completamente vacía, hasta nos va a sobrar espacio!

Ramona la miraba sin entender, en ese largo viaje no vio ningún equipaje extra. Entonces, su abuela aclaró:

—Traje dos maletas: una adentro de la otra. Empaqué mi ropa en una mediana, y la encerré en la grande. Por eso documenté sólo un bulto.

De inmediato abrió el ropero, y señaló arriba. ¡Ramona vio en lo alto dos maletas de su abuela, parecían multiplicadas mágicamente! Admiró en silencio aquella estrategia; y ambas salieron nuevamente del hotel.

Debían aprovechar al máximo aquel último día en la ciudad. La tarde ya estaba organizada: Yemile y Mustafá los invitaron a conocer el lado asiático de Estambul. Todos se iban a reunir en el hotel del congreso, saldrían desde allí. Y por la noche, ambas partirían en autobús hacia el corazón del país.

Abuela y nieta aún contaban con varias horas para ellas y sus respectivas prioridades. Ramona quería visitar tiendas y comprar regalitos. La señora deseaba ir cuanto antes a la zona moderna donde podría conseguir zapatos adecuados a la nueva forma de sus pies.

Al cruzar el Cuerno de Oro, sobre el puente, vieron la famosa torre de Gálata. El papá tenía razón, del otro lado del río, Estambul parecía otra: moderna, más europea… con edificios muy altos y un tránsito infernal como en cualquier gran ciudad del mundo.

Después de una complicada y extraña combinación de tranvía, escaleras, metro y más escaleras, salieron a la plaza Taksim. Identificaron fácilmente a Istiklal Caddesi, era la única calle peatonal a la vista.

—¡Lo primero son tus zapatos, abue!

—¡Sí, son prioridad! –contestó la señora–. Hay que ir derechito a buscar zapaterías ¡sin distraernos en nada!

Al avanzar por aquella encantadora avenida, repleta de paseantes, escucharon cierto sonido agradable que salía de un pequeño local. La señora detuvo sus pasos, y le preguntó a su nieta:

—¿Es música turca? ¿O es tango? –de inmediato decidió–. ¡Sea lo que sea, me encanta!

Entró en aquel negocio atendido por un simpático mercader que, por supuesto, estuvo totalmente de acuerdo con ella. Declaró, sin lugar a dudas, que el disco era tango-turco o turco-tango… ¡y se lo vendió!

El comerciante le ofreció a Ramona música moderna. Y ella aprovechó a cumplir con el encargo de su amiga. También quiso elegir el disco de música turca que hacía falta en su casa. Escuchó uno, otro y otro… sin decidirse…

Se rascó el cuello y dio una voltereta, sabía que los pies de su abuela esperaban impacientes: ¡debía elegir rápido! Por fin, alzó la vista, y vio aquella carátula con el Caballo de Troya... ¡y compró el disco sin escucharlo!

Comenzaba a lloviznar. Un simpático tranvía turístico recorría lentamente la avenida, espantando con su campana a los peatones distraídos.

—De regreso, lo tomamos, Ramonina —propuso la abuela.

—Primero, hay que solucionar lo urgente —contestó la nieta—. Tus pies amenazan con escaparse de esos zapatos en cualquier momento, ¡parecen tan enojados...! Cuando salgan de ahí, no van a querer entrar jamás.

—Sí, yo también lo creo. ¡Vayamos derechito a las zapaterías! —ordenó la señora—, ¡no hay que detenerse en ningún otro lugar!

Y se encaminaron con la intención de no demorar. El paseo de esa tarde requería zapatos adecuados, y más aún el viaje a Capadocia.

Al oír una campanita, se orillaron. Sólo que no apareció el tranvía turístico. Entonces, ¿de dónde surgía aquel tintineo? Varios pasos más allá, escucharon nuevamente aquel sonido...

¡Hasta que por fin vieron a ese joven tan atractivo! Lucía birrete, chaleco rojo y camisa blanca de mangas plisadas. Con su mano derecha ofrecía el cucurucho y con la izquierda enarbolaba una espátula que parecía remo. Ramona exclamó:

—¡*Dondurma*! ¡Mira, abue, *dondurma*!

—¿Qué es eso? —preguntó la señora.

—¡El chicloso...! ¡El típico...! ¡El auténtico helado turco! –decía Ramona, emocionada–. ¡Tenemos que probarlo, abue! ¿Tus pies nos darán permiso de comprar?

—¡Sí, por supuesto! –consintió la abuela–, que esperen unos segundos más, ¡¿cuánto tiempo puede demorar ese joven en vender un par de helados?!

La señora ignoraba que los heladeros turcos eran una de las atracciones turísticas de Estambul. Ellos jugaban todo tipo de bromas a sus clientes mientras servían, o no servían, el famoso helado turco.

—*Teshekkür ederím* –agradeció Ramona al recibir esa golosina, desviando su vista instantáneamente hacia un escaparate que le llamó la atención.

Cuando miró su cucurucho, ¡el helado había desaparecido! Y antes de reaccionar, ¡ya estaba de regreso!

La textura firme y chiclosa de aquel producto tradicional permitía que el heladero engañara al cliente con la ilusión de que tenía su cucurucho lleno, y al segundo siguiente lo descubría vacío, ¡o vuelto hacia abajo!

El helado iba y venía en una danza inesperada, sorpresiva, que deleitaba a los mirones e impacientaba a Ramona quien ya quería disfrutar su helado.

Algunos turistas presenciaban el show gratuito; otros filmaban aquella habilidad del mago vendedor. Abuela y nieta reían… ¡aunque comenzaban a sospechar que jamás recibirían sus ricos helados!

Todos parecían divertirse… menos ciertos pies estrujados, prisioneros dentro de aquellos zapatos… que debían seguir allí, aguardando sobre la calle húmeda… en tanto aquel prestidigitador, sin ninguna prisa, continuaba desplegando su insólito arte.

Cueva-hotel

¡Al fin, llegaron a Capadocia!

Ramona despertó con los primeros rayos del sol que entraban por la ventanilla del autobús.

—¡Pudiste dormir rico! –le dijo su abuela, como saludo de buenos días. Y enseguida agregó:

—A mitad de viaje, por el lado izquierdo, se vieron las luces de una ciudad grande. ¿Habrá sido Ankara?

Lo corroboraron con el mapa. Esa carretera bordeaba la capital de Turquía, el autobús había atravesado cerca de la gran ciudad. Ramona también quería ubicarse por dónde andaban en ese momento, y preguntó:

—¿Pasamos algunos lagos, abue?

—Sí, varios —contestó la señora.

—¡Entonces, ya estamos en Capadocia! —declaró Ramona, cerrando el mapa, y disponiéndose a disfrutar del paisaje.

Vieron tres hermosos picos nevados que pronto dejaron atrás. La tierra era agreste, con promontorios rocosos y hondonadas. De pronto, Ramona exclamó:

—¡Mira, abue! ¡Pastores con rebaños de ovejas! —y de inmediato, buscó su cámara.

—No creo que puedas tomar buenas fotos a través de esa ventanilla —dijo la señora.

—Tampoco voy a conseguir postales de estos cuadros tan hermosos —contestó Ramona, sin dejar de disparar su cámara.

Casi a las ocho de la mañana, el autobús arribó a Nevsehir. El guía que las esperaba, además de hablar español, era súper simpático: se llamaba Malak. Después del clásico desayuno turco, partieron hacia Göreme donde se hospedarían en un atractivo cueva-hotel.

Ramona iba ilusionada, mirando el folleto que le había proporcionado la agencia de viajes en Estambul.

Las fotos mostraban una vegetación frondosa y conos de lava. La entrada del hotel tenía forma de chalet, disponía de un jardín con pasto muy verde y geranios rojos. Las habitaciones, cavadas en cuevas, lucían amplias, atractivamente decoradas con artesanía turca.

La camioneta se internó por valles donde asomaba, entre las piedras, la maleza nueva de la primavera. Pronto comenzaron a distinguir las primeras formaciones rocosas de cierta importancia. De pronto, Ramona gritó:

—¡Una Chimenea de Hada!

—Es sólo el principio –aseguró el guía–. Verás muchas. Las más fotografiadas son las de Ürgüp. Aunque las más impresionantes están en Cavusín y Pasa Baglari.

El guía continuaba explicando:

—En alguna época muy lejana, entraron en actividad dos volcanes: el Erciyes y el Hasan. La primera erupción arrojó lava blanda, que el viento y la lluvia moldearon con facilidad. El material de la segunda erupción era basalto, lava oscura y firme, que en algunas zonas quedó por encima.

—¿Y eso formó las Chimeneas de las Hadas? –quiso saber la abuela.

—Sí, el basalto coronó los primeros conos, igual que un baño de chocolate sobre un helado de vainilla.

Ellas soltaron la risa. Al comprobar el interés de la nieta y su abuela, Malak les extendió una propaganda, a la vez que decía:

—La mejor manera de apreciar esta región en su totalidad es desde un globo aerostático. Yo vendo boletos.

—¡Abue! –exclamó Ramona–. ¡Sería fantástico viajar en globo!

—El *air balloon* parte a las cinco treinta de la mañana –informaba Malak–. Yo pasaría por ustedes a las cinco quince.

—¿Lo tomamos, abue? –preguntaba Ramona–. ¡Di que sí, porfa!

—Eso hay que investigarlo muy bien –contestó la señora–. No debemos correr riesgos.

Y en aquel momento, llegaron a Göreme. En la plaza del pueblito se encontraron con un desfile escolar en honor a Mustafá Kemal, más conocido como Atatürk. Los niños llevaban uniforme rojo con sombrerito turco, igual al que usaba el prócer de su patria.

—¿Saben qué significa Göreme? –preguntó el guía.

—"¡Eh, aquí no puedes ver!" –citó Ramona.

—¡Vaya! ¡Qué informada está la jovencita! –dijo Malak.

Doblaron a la derecha por un camino abundante de cuevas acondicionadas como cafeterías y posadas. A todo lo largo de la calle, corría un canal. Y del otro lado, se apreciaban los conos de lava con ventanitas que parecían ojos y puertas casi redondas, con expresión de susto.

El guía detuvo la camioneta, y comenzó a bajar el equipaje. La abuela se quedó en su asiento, desconcertada. Ramona reaccionó de inmediato, ya en tierra, le reclamó a Malak:

—¡Éste no es el hotel que nos ofrecieron!

—Sí, lo sé –contestó el guía–. Pero en esta semana hay asueto, son fechas patrias. ¡Todo Göreme está ocupado al máximo!

Y, señalando el folleto que traía Ramona, él agregó:

—En ese hotel, no hay lugar. Ni lo habrá por tres días más.

La abuela, tras aquella larga noche en autobús, deseaba llegar cuanto antes a cualquier habitación, fuera la que fuera. Por lo cual, el reclamo de Ramona no contó con mucho apoyo.

Subieron escalones de material volcánico. Arriba, las esperaba el gato. Efectivamente, era una cueva-hotel. Resultaba emocionante tocar aquellas paredes blancas de piedra pómez, apoyar algo en las repisas formadas por nichos tallados en la roca...

La vista era increíble. Desde las habitaciones, se podían apreciar los conos de lava que se alzaban allí, cruzando la calle de tierra. Sólo que el cuarto era muy pequeño, frío, incómodo... Al revisar el baño, Ramona exclamó:

—¡No hay secadora, abue! ¡No desempaques! ¡Espérame! ¡Ya regreso! –y bajó las escaleras, corriendo con folleto en mano.

Encontró al guía tranquilamente sentado en la recepción, tomando *chai* con el hotelero mientras conversaban como verdaderos compadres.

—¡Nos ofrecieron una categoría de hotel, y nos dieron otra! –recalcó ella al entrar, enseñando el itinerario escrito por la agencia de viajes y el folleto a todo color del hotel bonito.

El guía, revisando los papeles, indicó:

—Aquí, en el itinerario, se especifica: "Se hospedarán en el hotel que se muestra o similar".

—¡Eso! –subrayó Ramona–. ¡Similar! ¡Y yo no veo la similitud por ningún lado!

—Está bien, está bien —intervino el hotelero—. Dime: ¿qué necesitas?

—Una habitación grande —pidió Ramona, sin pensarlo ni un momento.

—De acuerdo —aceptó el señor—. Al mediodía se desocupa una para seis personas. En cuanto la arreglen, trasladamos tu equipaje. ¡Hasta podrás bailar en ese cuarto!

Ramona continuaba con su cara fruncida. El guía observaba en silencio. Y el dueño de aquel lugar, fingiendo paciencia, nuevamente preguntó:

—¿Qué más quieres?

—En el otro hotel —continuó Ramona, señalando su atractivo folleto—, el baño tiene secadora de cabello.

—Cuenta con ella —aseguró el señor—, te la haré subir a la nueva habitación.

Ramona se quedó sin palabras. No decidía si continuar enojada o dar las gracias. Había resuelto lo principal, aunque estaba consciente de que la buena voluntad del hotelero no iba a elevar la categoría de aquel sitio... Dio una voltereta, sin saber qué decir...

El señor, con evidente ánimo de terminar el pleito, le preguntó:

—¿Algo más?

Y Ramona, mirando las hermosas fotografías de su folleto, dijo:

—El otro hotel... tiene un bonito jardín con flores.

Entonces, aquel hotelero, ya sin nada de paciencia, exclamó:

—¿Y de dónde quieres que yo saque un jardín ahora, cuando apenas termina el invierno? ¡Nadie tiene jardines en esta época! ¡Esa foto la tomaron en verano!

Extraviadas

—¿Hoy, no tenemos ningún paseo? —preguntó Ramona, al guía que terminaba de tomar *chai*.

—No. Es día libre –respondió Malak–. Luego de once horas en autobús, la gente necesita descansar.

Ramona pensó que aquel señor no sabía con quién trataba; ella y su abuela no se rendían tan fácilmente. Pero como tampoco deseaba discutir más en aquella mañana, prefirió limitarse a buscar consejo:

—¿Por dónde nos conviene caminar?

El guía la miró de arriba abajo. Al cabo de un momento, dijo:

—A dos o tres kilómetros queda la fortaleza de Uchisar, es una vista espectacular. Desde allí, se divisa todo el valle de Göreme.

Y mientras se incorporaba, con las llaves de su camioneta en la mano, agregó: —Me queda de paso. Si quieren, las dejo arriba, y les indico el camino de regreso por senderos que sólo se pueden apreciar en esa caminata.

Ramona corrió en busca de su abuela.

—¡Todo solucionado, abue! Nos van a cambiar de habitación –decía, agitada–. ¡Y ahora nos llevan a un hermoso lugar!

Bajaron bien armadas con botines, paraguas, sombreros, chales, botellitas de agua... Aquel clima semidesértico era una extraña combinación de brisa helada y sol fuerte.

A medio camino, el guía les señaló cierta explanada junto a la barranca. El área era amplia, libre de hierba, junto a una pequeña construcción de madera.

—Es donde alza vuelo el globo aerostático –dijo Malak, y de inmediato insistió–. Ustedes dirán qué día quieren tomarlo.

Malak las dejó junto a la carretera, en un paradero donde servían té y elaboraban joyas, enfrente de Uchisar. Él les señaló por dónde volver a Göreme, al mismo tiempo que les recomendaba:

—No se aparten del camino principal. Si no cometen errores, llegarán al hotel. En el caso de surgir algún problema, regresen aquí; por esta carretera pasan microbuses que bajan a Göreme.

Y se quedaron solas, embelezadas con aquella vista de Uchisar. Sus casas, enclavadas en la roca, se ubicaban sobre las faldas de aquellos enormes peñascos que se alzaban imponentes. Su increíble altura y forma agreste, imperaba sobre los valles que reverdecían alrededor.

—¿Cuánto medirán? –se preguntaba Ramona, a la vez que tomaba fotos.

Tardaron mucho en darle la espalda a Uchisar y comenzar a caminar por aquel monte pedregoso cubierto de fina hierba y flores amarillas. La meseta por donde avanzaban caía a cada lado en llamativas cañadas con caprichosas formaciones rocosas, casi surrealistas.

Ramona se divertía tomando fotos de su abuela que caminaba adelante con ese atuendo tan especial. Se cruzaron con unos simpáticos turistas canadienses que regresaban extenuados. Al verlas solas, quisieron saber si estaban seguras del camino que debían tomar.

—¡Sí! –contestó la abuela–. Nuestro guía nos explicó muy bien.

Se despidieron, como si se conocieran desde siempre, y continuaron por sus respectivas direcciones. Ramona exclamaba:

—¡Mira, abue! ¡En esa barranca, la piedra es amarilla! ¡Y en la de atrás es rosa!

—¡Y más allá, es totalmente blanca! –decía la abuela–. ¡Brilla con el sol! ¡Los pliegues caen con la gracia del raso en un vestido de novia!

A lo lejos, asomaba el horizonte rocoso en tonos grises y morados. El cielo azul parecía abrazar el paisaje. Todo era perfecto... ¡hasta que el camino se dividió en dos! Ramona no supo qué hacer:

—¿Por dónde vamos, abue?

—Buena pregunta –respondió la señora–. Malak dijo que siguiéramos por el camino principal.

—¡Sí! –reconoció Ramona–. ¿Pero cuál es el camino principal? ¿El más ancho o el que se nota más transitado?

Se detuvieron sin decidir cuál sendero tomar. Necesitaban más visión. Adelantaron varios metros por uno de ellos, y regresaron. Caminaron por el otro sin estar seguras de nada. ¡Y no había a quién preguntar!

Al observar que los senderos tomaban forma curva, la señora dijo:

—Quizás son esas veredas que dan un rodeo y al final terminan juntándose nuevamente.

Y siguieron. Trataban de apreciar cada detalle del entorno, sin confesar su inquietud. La abuela vio una piedra donde podían sentarse, y propuso descansar. Sus pies se lo exigían.

Las nubes se multiplicaban rápidamente, ellas agradecían que el sol molestara menos. Continuaron por aquel trayecto que, poco a poco, se desdibujaba, angostándose cada vez más.

La arena de pómez se hundía bajo los zapatos y una maleza fina cubría todo. Descubrieron pequeños hoyos perfectamente redondos. Ramona preguntó:

—¿Serán de ratones campestres?

—¡Espero que no sean de serpientes! –contestó la abuela.

Del otro lado de la barranca, vieron una frondosa terraza acondicionada como jardín: con sombrilla, sillones, mesa de centro… y el correspondiente gato vigilando todo. Una escalera subía hacia donde partían los globos aerostáticos. Ramona dijo:

—Alguien de allí puede darnos indicaciones.

—No se ve gente –observó la señora–. Malak dijo que ese negocio funciona de cinco a siete de la mañana. De cualquier modo, dudo que nuestra voz llegue tal lejos por más que gritemos; la barranca es muy ancha.

—¡Tengo hambre! –dijo Ramona.

La señora buscó en su cartera la bolsita de plástico con nueces y dátiles que comprara en el Bazar de las Especias. Comían sin dejar de caminar... en silencio... El paisaje era espectacular; aunque para ellas, ya había perdido algo de su encanto.

De pronto, en la soledad total, escucharon voces masculinas... Miraron alrededor... no veían a nadie... El sonido era real... y en la meseta no existía ni un arbusto dónde esconderse, nada... Las únicas personas a la vista eran ellas dos...

Entonces, ¿de dónde surgían esas voces? Ramona dio una voltereta y, arrimándose a su abuela, tartamudeó:

—Abue... ¿será... serán...?

Aquellas voces se escuchaban cada vez más cerca... ¡demasiado cerca...!

¡Hasta que por fin, los descubrieron!

Eran dos montañistas, terminando de subir la quebrada con equipo de escalar.

Ya sobre tierra firme, avanzaron hacia ellas, iban a cruzarse en unos segundos. La abuela dijo:

—Ramonina, pregúntales tú, que hablas mejor inglés.

Cuando se encontraban a pocos pasos, Ramona los miró a la cara, intentó saludarlos… Y aquellos señores siguieron su camino… ¡sin mirarlas! ¡Igual que si ellas hubieran sido invisibles!

—¿Qué pasó? –reprochó la señora–. ¡Perdimos la oportunidad de saber hacia dónde ir! ¡Son los únicos seres humanos que hemos cruzado en los últimos cuarenta minutos!

—¡Ay, abue! A mí me parecieron muy inhumanos –se defendió Ramona–. ¿No viste qué antipáticos eran? ¡Cómo voy a reconocer ante esa gente que estamos perdidas!

El cielo comenzó a tronar y a encresparse con nubes negras. La nieta no sabía qué hacer; y su abuela tampoco. Sólo se les ocurría seguir y seguir caminando.

De pronto, escucharon un llamado a oración. Se pararon de puntillas y alcanzaron a distinguir el bonete de la tumba romana, la Chimenea de Hada más famosa de Göreme.

Allí, a trescientos metros, comenzaba el pueblo. Les pareció tan bonito... las copas de los árboles lucían tan verdes...

—¡Mira, Ramonina! Desde aquí se ve nuestro hotel. ¡Significa que ya caminamos casi tres kilómetros...! ¡Y que no estamos perdidas!

—¡Uf! –suspiró Ramona–. El final de esta meseta queda a menos de cien pasos.

—¿Crees que habrá alguna veredita que baje al valle? –preguntó la señora, con cierta desconfianza.

—¡Sí! –aseguró la nieta–. ¡Esto tiene que terminar en algún lugar!

Y sí, aquella meseta terminó: ¡pero en otro precipicio! Göreme se veía tan cerca, que a Ramona le dieron ganas de volar.

—¡Qué bien nos vendría el globo, abue!

Se levantó viento y comenzaron a caer las primeras gotas. Nieta y abuela estaban rodeadas de

barrancas, *excepto* por un sitio: ¡por el que habían llegado!

Ramona dio tres volteretas. Y, mientras se estrujaba las manos, anunció:

—Abue, vamos a necesitar mucho tacto.

La señora, todavía perpleja, la miró sin entender. Entonces, Ramona dijo:

—¿Tienes alguna idea de cómo explicarles a tus pies... que caminarán otros tres kilómetros de regreso hasta la carretera?

Cena turca

Ramona y su abuela bajaron extenuadas del microbús que las dejó en Göreme. Al entrar en el hotel, la sonrisa del dueño les pareció sospechosa; y más aún, cuando insistió en conocer detalles de cierta caminata.

—¡Nos fue muy bien, gracias! –contestó Ramona, al recibir la llave de esa prometida habitación. Tomó a su abuela del brazo, alejándola rápidamente.

—¡Ésta sí que es amplia! –exclamó la señora en cuanto puso un pie adentro de aquella cueva.

Había cuatro camas individuales y una doble, tipo imperial, coronada por un arco tallado en la roca que enmarcaba la cabecera.

—Yo elijo la más ancha –declaró la abuela–, mis pies merecen ese privilegio.

—¡Ya me parecía! –dijo la nieta–. Bueno... yo me quedo... ¡con la que está junto a la ventana! Así, mañana al amanecer, puedo ver los primeros rayos del sol sobre aquellos conos que parecen bonetes de duendes.

—Lo primero es bañarnos y arreglarnos muy bien –propuso la señora–. Nos espera un pueblo bonito y una comida abundante que además servirá de cena.

—Por favor, nada que tenga nueces o dátiles –pidió Ramona.

Mientras la abuela se bañaba, la nieta desempacó lo que iba a utilizar esa tarde y lo que necesitaría por la noche; en primer lugar: su querida almohada.

Cuando al fin se disponían a salir, la señora dijo:

—¡Otra vez no me calzan los zapatos!

—Lo bueno es que ahora no necesitas andar en pantuflas –recordó la nieta.

Y sí, la señora ya contaba con suecos anchos. Los había comprado en Estambul, después de esperar pacientemente a que un heladero turco completara sus acrobacias.

Seguía lloviendo. Göreme era un pueblo de pocas calles. El abundante turismo propiciaba que estuviera lleno de cafecitos, fondas al aire libre y, sobre todo, numerosas tiendas con variadas artesanías.

La señora compró un mantel, varias postales y algunos monederos típicos que llevaría de regalo.

Ramona se demoró escogiendo un disfraz azul de odalisca, aretes de cobre, pequeños estuches donde guardar cadenitas y dos almohadones turcos. El primero por encargo de una amiga; el segundo le causaba conflicto…

Le atraía la idea de darle cierto aire exótico a su habitación; pero estaba consciente de que en eso gastaría las últimas liras destinadas a regalos. Ramona, en actitud pensativa, le preguntó a su abuela:

—¿Si compro algo que no daré a nadie, se considera regalo? Antes de recibir una respuesta, ella misma encontró la solución:

—Este almohadón es el compañero perfecto para mi almohada. ¡Se lo voy a llevar de regalo! Así, aunque yo ande afuera todo el día, ella nunca más estará sola….

¡Y lo compró! Enseguida, como si volviera a la realidad, dijo en voz alta:

—¡Tengo hambre!

—Yo también –contestó la abuela.

Continuaba lloviendo y hacía frío. No encontraron ningún sitio resguardado, los comedores funcionaban a la intemperie. Luego de mucho dudar, entraron a una simpática fonda cubierta por grandes sombrillas. Disponía de mesas normales y de una tarima alfombrada que se notaba acogedora.

Hubo que quitarse los zapatos y sentarse de piernas cruzadas; lo cual no le resultó fácil a la abuela. El único mueble era una mesita redonda de aluminio. Lo demás estaba tejido en colores vivos: alfombras, cortinas, adornos colgados en la pared de madera, almohadones que servían de asientos… Todo completamente turco.

Lo más pintoresco de aquel lugar, era su dueño. Tenía ojos grandes, saltones, y una melena donde podían anidar pájaros. Hablaba un español atravesado que lo hacía más simpático aún. Declaraba ser actor, y haber trabajado en películas mexicanas.

La abuela calló lo que pensaba, pero lo miró tan significativamente, que él dijo:

—Me he quedado sin trabajo; será porque soy mal actor. –Y de inmediato, agregó– Ahora, me dedico a los negocios. ¿Qué van a ordenar?

Cena turca

Menú variable

- 🌸 Sopa de lentejas
- 🌸 Carne de cordero en trocitos
- 🌸 Guarnición de tomate machacado
- 🌸 Guarnición de yogurt firme y aceitunas
- 🌸 Queso de cabra y mantequilla para untar
- 🌸 Pan tipo árabe, inflado, recién hecho
- 🌸 Yogurt líquido para beber (*Ayrán*)
- 🌸 *Chai* bien caliente

Aquellas delicadas especias de la cocina turca le daban un sabor único a la comida. Pronto se levantó viento. Los empleados corrieron a sostener las sombrillas que amenazaban con salir volando.

Frío, ventarrón y lluvia no eran favorables en ese lugar. Aunque Ramona y su abuela disfrutaron la cena como nunca, salieron lo más rápido posible de allí; sin tomar té.

Fueron a ver de cerca la tumba romana, el símbolo de Göreme. Exploraban por aquí y por allá, hasta que descubrieron aquellas auténticas Chimeneas de Hadas donde vendían alfombras. Entraron a uno de esos conos ahuecados que se conectaba con otro y otro, por medio de arcos.

Ramona y su abuela pasaban de recinto en recinto, casi sin notarlo, admirando el ingenio de los nativos al darle utilidad a esas formaciones naturales. El piso estaba alfombrado, y las paredes de roca totalmente tapizadas. Además, había cientos de alfombras apiladas.

Por pequeñas ventanitas abiertas en lo alto, se filtraba la luz del atardecer, otorgando a cada bóveda una atmósfera mágica… Abuela y nieta disfrutaban a solas de aquel sitio, rodeadas por alfombras y más alfombras…

De pronto, apareció un joven con vasitos de *chai*. A ellas les pareció perfecto después de la cena, lo necesitaban; nada más que tenían miedo de aceptar el ofrecimiento.

—Sólo entramos por curiosidad —se justificó la abuela.

—Ya nos íbamos —dijo la nieta.

El joven les contestó en inglés. Insistió en que ese té no implicaba ningún compromiso de compra. ¡Y lo aceptaron! Pronto se quedaron nuevamente solas, fascinadas con el trabajo exquisito de aquellos tejidos.

—¡Mira abue! –decía Ramona–. Me encanta esa alfombra con bordados primitivos, que parecen pinturas rupestres. Con cuatro palitos, logran dar idea de movimiento a personas, pájaros, plantas…

—¡Y los tonos de aquella otra son maravillosos! –afirmaba la abuela.

Entonces, cuando se encontraban más distraídas, llegó el vendedor experimentado. De inmediato, captó el gusto de ellas. Comenzó a bajar piezas similares y a extenderlas, una tras otra… Explicaba la diferencia entre un tejido de telar a uno de fábrica, entre un *kilims* y un *sumak*…

La abuela trató de informarle, en su mal inglés, que no tenían intención de comprar, aunque tampoco dejaba de elogiar la belleza de aquellas obras de arte. Ramona alternaba su mirada entre el señor y su mercancía, su abuela y la salida…

Hubo una alfombra, especialmente hermosa, que el vendedor desplegó frente a ellas, en actitud de ponerla a sus pies. Les encantó tanto a la abuela como a su nieta; y no pudieron disimularlo.

—¡Es bellísima! –dijo Ramona en español.

—¡Quedaría estupenda de tapiz en mi sala! –comentó la abuela, pensando que el señor no entendía su idioma.

Tal vez, él sabía algo de español o nada más era intuitivo. El caso es que empezó a negociar. Pidió una cifra altísima y, al observar la reacción de ellas, se dedicó a rebajar: mucho al principio, paulatinamente al acercarse a su tope. La abuela dijo en un susurro:

—Este señor debe pensar que somos ricas.

—Sí –contestó Ramona–, será porque hemos venido de tan lejos…

—¿Y eso qué importa? –dijo la abuela–. Por aquí, andan montones de mochileros de países lejanos.

—Sí, abue –aclaró Ramona–. Nada más que… tú no pareces mochilera.

—¿Será por el abrigo o por el collar? –preguntó la señora.

El vendedor exponía con detalle la complicada elaboración de esa pieza, primero tejida en telar y luego bordada a mano, mientras seguía modificando su precio. Poco a poco, aquella alfombra descendió a casi diez por ciento de su precio inicial. Al no lograr éxito, el señor esgrimió su última estrategia: llamó a su jefe.

Protagonizaron una interesante escena. El recién llegado fingió estar sorprendido por la suma tan baja. Él no autorizaba desprenderse de aquella joya por tan poco. Ordenó suspender la venta.

El primer vendedor se defendía: alegando que eran dos damas muy simpáticas, y resguardando su honor; pues ya había empeñado su palabra, y necesitaba respetar ese último precio.

Ramona y su abuela no podían ni querían comprar; sólo planeaban huir de allí. Pero cada vez que intentaban irse, aquel señor desplegaba un nuevo argumento o una nueva alfombra.

Ellas consideraban que era descortés irse así, nada más… después de tomar *chai*, recibir una cátedra acerca de tejidos, presenciar una escena teatral; todo absolutamente gratis. Y en ese negocio no había postales ni nada pequeño con qué crear la ilusión de una compra.

—¿Qué hacemos, abue? –decía Ramona en voz baja, pellizcando a su abuela.

—¿Ya viste cómo salir? –murmuraba la abuela, casi sin abrir los labios.

En aquel momento, entró una pareja mayor de norteamericanos, con aspecto de poder comprar mucho. Los vendedores se disputaron, por unos segundos, el turno de atenderlos…

Entonces, Ramona y su abuela aprovecharon la distracción…

Y simplemente… ¡escaparon!

Ánfora misteriosa

Amaneció frío y lloviendo. Ramona, al mirar por la ventana, exclamó:

—¡Abue! Hoy, yo tenía que ver los primeros rayos del sol iluminando aquellos conos. ¡Y no hay sol, ni se ven los conos de tan nublado que está!

—¡Ay, Ramonina! –dijo la abuela–. Una cosa es realizar los sueños, y otra es pretender saciar cada capricho.

—¡Pero yo quería, abue!

—¡Sí, sí, tú quieres todo! –reclamó la señora–. ¡Mira si te hago caso de comprar los boletos para el globo! ¿Qué íbamos a ver con este clima?

Ramona supo que su abuela tenía un poco de razón, aunque sólo dijo:

—A las ocho viene Malak por nosotras. Tenemos programado senderismo por el valle de Ihlara.

—¡¿Con este día?! —observó la abuela.

Cuando bajaron a desayunar, Malak ya estaba en el comedor, veía noticias con el hotelero.

—Abue, ¿a ti no te aburre desayunar lo mismo todas las mañanas? —preguntó Ramona, en voz baja.

—Sí, un poco —reconoció la señora— me resigno al recordar lo que dijo Atif.

—"¡El desayuno turco es menú invariable!" —recitaron a coro, confiando en que el volumen del televisor apagara sus voces.

A las ocho salieron en la camioneta. Pasaron por otros turistas que se hospedaban en Göreme. Eran dos señoras de Brasil, un joven argentino y una simpática profesora norteamericana con su hija de catorce años: Shannon.

Malak anunció que, debido a la lluvia, el itinerario se alteraba completamente. Iban a combinar circuitos con el fin de recorrer sólo lugares cubiertos.

—Empezaremos por Avanos, un pequeño poblado alfarero —dijo el guía—. Si al terminar esa visita continúa lloviendo, viajaremos hasta la ciudad subterránea de Derinkuyu, una de las más grandes abiertas al público.

Por mitad del trayecto, se detuvieron bajo un mirador techado. En frente, asomaban las ruinas de una antigua ciudad. Lo que se podía apreciar de aquellas viviendas era cada entrada en forma de arco, el resto había sido cavado bajo la montaña.

—Parecen bocas abiertas –dijo Ramona.

—O muchas C de Capadocia con las patitas hacia abajo –completó la abuela.

Shannon y su mamá soltaron la risa al escuchar esas ocurrencias. Ramona notó que además de entender español, lo hablaban perfecto; eran de Texas.

A pesar de la lluvia, algunas señoras del poblado se acercaron al grupo de turistas. Iban vestidas a la manera tradicional: con pantalones bombachos estampados de flores pequeñas. Vendían mantillas adornadas, igual a las que ellas utilizaban para cubrirse el cabello.

Ramona únicamente miró.

—¿Tú no vas a comprar algo? –le preguntó Shannon.

—Anoche, gasté mis últimos ahorros –dijo Ramona–. La reserva que me dejó mi papá debo conservarla por si tenemos alguna emergencia.

—Yo también compré de más en Éfeso –recordó Shannon.

—¡¿Fueron a la Costa Mediterránea?! –dijo Romana, asombrada.

—Sólo estuvimos en Éfeso y en Selcuk –aclaró Shannon—. En la montaña, visitamos la casita donde la Virgen María pasó sus últimos años. ¡Se siente tanta paz en ese lugar!

Ambas continuaron camino en silencio.

Atravesaban paisajes con apariencia extraterrestre. El chofer recogió a otros turistas que también hablaban español y se hospedaban por la zona. Ya con camioneta llena, se dirigieron hacia Avanos.

—Al principio, este pueblo se llamaba Vanessa, que significa "ciudad sobre el río" –explicó Malak–. Se desconoce la fecha de su fundación. En algunas excavaciones se han encontrado restos muy antiguos de vasijas, platos y joyas que tienen miles de años.

En el taller de cerámica, Shannon y Ramona se ubicaron adelante; tomaron asiento frente al maestro alfarero. Él manejaba el torno tradicional, conservando la técnica antigua. Los giros de la rueda, movida con los pies, eran casi tan hipnóticos como los de aquellos Dervishes…

El alfarero moldeó el barro con habilidad, dividiéndolo más de una vez. Al final del largo proceso, unió las piezas. Obtuvo un jarrón perfecto, igual a los elaborados por los ancestrales hititas.

Luego, entraron al salón donde se decoraban las piezas. Tuvieron la oportunidad de observar cómo se pintaban a mano cada una de aquellas obras de arte. Visitaron la tienda, una enorme bodega de exhibición donde resultaba imposible permanecer indiferente ante tal despliegue de forma y colorido.

Había cubículos con cerámica azul; en otros, prevalecía el naranja o el castaño... Y cada stand era iluminado con luz del mismo tono de aquellas piezas, lo cual les confería una intensidad casi teatral. Ramona suspiró:

—¡Ay! ¡Y yo que no puedo comprar ni un platito!

—Yo tampoco –dijo Shannon–. ¿Has visto los precios?

La empleada que atendía a los visitantes apareció con un cántaro de barro, similar a donde guardan serpientes en India. Mientras la sostenía en alto, preguntó:

—¿Quién se atreve a explorar aquí, a ciegas?

De inmediato, agregó con sonrisa pícara:

—Lo que hallen dentro del ánfora será suyo; aunque no puedo garantizar que les agradará.

Se escucharon algunas risas nerviosas. Alguien se adelantó y enseguida volvió a su lugar, desencadenando un abucheo generalizado. Shannon y Ramona se codeaban tratando de animarse entre sí.

¡Y, al fin, Ramona se ofreció al sacrificio!

La rodeaba cierta atmósfera de curiosidad y expectativa... Ella acercó lentamente su mano al cuello del cántaro... Antes de introducirla, ya se había arrepentido... miró al gato del rincón que vigilaba impaciente, y al grupo que la observaba en silencio...

El orgullo se impuso... Ramona, con los ojos cerrados y la boca tensa, deslizó su mano adentro de aquel jarrón...

¡Y, en medio de aplausos, extrajo un encantador pocillo de cerámica decorado con pequeños tulipanes pintados a mano!

Ciudad subterránea

No paraba de llover. Continuaron en un largo viaje hacia Derinkuyu por caminos de extraña belleza y de larga historia. Ramona también observaba sus folletos; de pronto, señaló:

—¡El pueblo bajo tierra parece un gran hormiguero! –y todos en la camioneta miraron aquel croquis.

Al llegar, encontraron señoras que vendían muñequitas tradicionales: ¡con el mismo atuendo de sus vendedoras! Shannon se compró una vestida de rojo. Ramona sólo fotografió al gato que estaba sentado entre las muñecas.

En tanto el grupo esperaba su turno para bajar, el guía les mostró uno de los pozos con ochenta metros de profundidad por donde respiraba la ciudad subterránea. Mencionó que también era utilizado con otros fines, como el de transportar bultos.

—Este conducto atraviesa la ciudad: desde la superficie por donde entra aire, hasta el fondo donde hay agua –explicaba el guía–. Cada uno de los niveles conecta con estos respiraderos.

Y entraron. Malak no podía responder todas las preguntas del grupo. Confesó que en realidad, se sabía muy poco. Continuaban siendo más los interrogantes que las certezas.

—Se cree que los hititas cavaron los primeros pisos con el fin de almacenar alimentos –decía Malak–. Y que los pisos restantes fueron cavados siglos después por otras civilizaciones.

—¿Hay pruebas de que los primeros cristianos se refugiaron aquí? –preguntó Ramona.

—De eso no hay dudas –aseguró Malak.

—Qué fuerte sería su devoción –dijo la abuela–. ¡Qué sacrificio ocultarse en este lugar por resguardar su fe!

Comenzaron a bajar por aquellas incómodas rampas con escalones mal formados. Las cámaras se conectaban por arcos bajos donde era necesario agacharse: laberintos intrincados, fascinantes y misteriosos.

En el primer piso y en el segundo, el guía les mostró una escuela misionera, la cocina comunitaria, diversas habitaciones… y hasta una pila bautismal donde continuaba goteando el agua que se filtraba del exterior.

—¿Se imaginan al sacerdote bautizando a un recién nacido con puras gotas de lluvia?, ¡con agua del cielo! –idealizó Ramona–. ¿Qué puede ser más angelical?

Los demás guardaron silencio, concentrados en esa evocación poética. Malak, aprovechando la distracción del momento, le dio una linterna a Ramona mientras le decía:

—Ya que razonas como líder y en Avanos demostraste ser la única valiente, voy a encomendarte una delicada misión. Guiarás a un grupo de seis personas: no debes perder a nadie, y menos permitir que caigan al pozo. ¡Sigue por ese túnel!

Ramona se quedó estática, sin reaccionar, mirando la linterna en su mano. Ni siquiera dio su acostumbrada voltereta, las piernas le temblaban… Quiso negarse… ¡Pero Malak ya había desaparecido por el lado opuesto con el resto del grupo! Únicamente la rodeaban seis personas, esperando sus indicaciones…

—Habrá que seguir –propuso la abuela, en actitud resignada.

Y con el mayor temor de su vida, Ramona avanzó lentamente por ese oscuro y lóbrego túnel… cuidaba que los demás la siguieran de cerca… detrás de ella iban: su abuela, Shannon con su mamá, un joven y las dos señoras de Brasil.

Ramona alumbraba el suelo, hacia un lado y hacia otro, buscando trampas o alimañas… preguntándose por qué le encomendarían a ella semejante responsabilidad… si no estaba preparada… Aunque muchas veces jugaba a ser mayor… todavía era chica… bueno… un poco chica…

Eso pensaba Ramona, cuando de pronto…

¡apareció una sombra que saltó frente a ellos…! ¡Todos gritaron…! ¡Ramona alzó su linterna… y alumbró…!

¡Era el guía! Los demás iban tras él, muy divertidos por el chiste. El túnel formaba un semicírculo que servía perfecto para bromas de ese tipo.

Los pisos siguientes habían sido destinados a refugios donde los pobladores se ocultaban de sus enemigos. La evidencia la daban esas gruesas puertas redondas, talladas en roca dura.

—Tratemos de moverla –propuso Shannon, ante una puerta cerrada–. Así, vemos qué hay detrás.

—¿Podemos? –le preguntó Ramona al guía.

Él se echó a reír, y les dijo:

—¡Intenten! ¡Pesa media tonelada! Sólo se puede manipular por dentro. Cerrarla es fácil, porque rueda de bajada, basta con quitarle la piedrita de freno. La dificultad es abrirla: se necesitan ocho hombres fuertes.

—¡Ah! –contestaron ellas, y se fueron a explorar otros rincones.

—¡No se aparten del grupo! –les advirtió el guía–. Es fácil perderse en estos laberintos.

En el último nivel, visitaron la iglesia en forma de cruz, el recinto más importante de toda la ciudad subterránea. Entonces, vino lo más pesado: regresar de subida.

—No se rezaguen –decía Malak–. Allá arriba, otros grupos esperan bajo la lluvia, debemos darnos prisa.

A mitad de camino, la abuela quiso descansar. Sólo que el pasadizo era muy angosto, y ella obstruía el avance de los demás. Continuó esforzándose por seguir al ritmo esperado… sus piernas se volvieron pesadas… sentía la falta de aire… Buscaba un nicho como el de Santa Sofía… ¡Y lo encontró!

No se trataba exactamente de un nicho: era un arco de comunicación con otra caverna, donde entraba más de una persona. Ramona la acompañó a descansar. Al cruzarse con la señora, los compañeros le preguntaban por su salud. Ella debía elegir entre contestar o respirar.

El último en subir fue el guía, quien gentilmente le ofreció su brazo. La abuela se sintió comprometida a continuar un poco más, aunque respiraba cada vez peor.

Cuando faltaba un piso para llegar a la superficie, el espacio se hizo amplio. La señora tomó asiento en uno de aquellos relieves de la caverna en tanto se aplicaba broncodilatador.

Ramona, Malak, Shannon y su mamá permanecían junto a ella. El resto del grupo aguardaba impaciente, aún quedaba otro túnel por explorar en ese nivel. Exactamente frente a ellos, había un pequeño cartel con flecha:

—¿Es la única salida, verdad? –preguntó Ramona–. ¿Regresarán a esta galería?

—Sí, –contestó Malak, quien entendió la idea–, en cinco o diez minutos.

—Los esperamos aquí, mi abue necesita reponerse– dijo Ramona.

—Tú sigue con los demás —ordenó su abuela, mientras con su mirada se la encomendaba a la mamá de Shannon.

Ya a solas, la abuela contempló el entorno, preguntándose cómo vivirían aquellos cavernícolas. Trataba de ubicarse en ese espacio, de remontarse en el tiempo, esperando que una voz interna le revelara historias ocultas:

—¿Quiénes se habrán sentado en esta banca tallada en la roca donde yo estoy descansando ahora?

Su respiración ya era casi normal. Se quedó distraída con el inhalador en la mano… divagaba, estudiando el suelo, los muros… tratando de adivinar la rutina de aquellos antiguos pobladores… sobre todo, el ir y venir de las mujeres.

—Ese hueco pequeño tiene forma de cuna… –suponía– y aquel otro parece un corralito… claro, con tantos peligros…

Entonces, un joven que terminaba de subir por aquella pendiente tortuosa, al ver a la señora con el inhalador, le dijo:

—¡¿Es usted asmática?!

Antes de esperar respuesta, señaló la escalera por donde él había subido, la misma por donde ella subiera unos minutos antes. Y aquel joven comedido, muy enfáticamente, le recomendó:

—¡Si usted es asmática, no baje por allí, señora! ¡Ni se le ocurra bajar por allí!

Cañón de Ihlara

Al salir de la ciudad subterránea, ya no llovía. El grupo descansó en el parador turístico, bebiendo té de manzana. Las vendedoras de muñecas artesanales, quienes no hablaban nada de inglés, recorrían las mesas mostrando su mercancía. Una de ellas se acercó adonde estaban sentadas Shannon con su mamá, la abuela y su nieta.

Ramona detuvo su mirada en aquellas muñequitas trabajadas tan amorosamente, acarició una de vestido amarillo... y tuvo que negarse a comprar, mientras daba las gracias:

—*Hayir, teshekkür ederím.*

Shannon observaba. Al terminar el té, caminaron entre los puestos. Se perdían, se encontraban... Finalmente, hubo que subir a la camioneta y partir. Ramona iba algo melancólica. Entonces, la abuela extrajo de su cartera un pequeño paquete y se lo entregó. Al abrirlo, la nieta gritó:

—¡Mi muñeca!

¡Era exactamente la muñequita que le había llamado la atención: la del vestido amarillo! Abrazó a su abue con ternura, y le dio un beso muy sonoro. Shannon sonreía con cara de cómplice; el resto del grupo festejó la sorpresa.

La camioneta se detuvo junto a la carretera en lo alto del cañón de Ihlara. Malak preguntó:

—¿Quién quiere tomar fotos?

Desde esa ubicación, se apreciaba el verde tenue de la vegetación tempranera, en contraste con el tono rosa óxido de los acantilados. El río Melendiz, con afluentes de los deshielos del volcán Hasán, se alcanzaba a distinguir en el fondo del valle, confundido entre los álamos.

Continuaron hasta la entrada, donde comieron a prisa en la única fonda del lugar. Debían descender ciento cincuenta metros en la profundidad del cañón. El problema era que la escalinata cómoda y segura, destinada a los turistas prudentes, terminaba mucho antes.

Después, hubo que seguir a pies y manos entre grandes piedras resbalosas, aún húmedas por la lluvia. Algunas tenían forma de lajas, seguramente, producto de los derrumbes.

No resultaba nada fácil sortear de bajada aquellas rocas. Malak ayudaba a todos, especialmente a la abuela que era la última del grupo. Ramona y Shannon la esperaban cada vez que podían detenerse, y también le ofrecían su mano.

—Son tres kilómetros de caminata —advertía Malak— deben tener cuidado de no accidentarse, ningún vehículo puede entrar al valle.

—¿¡Tres kilómetros así!? —exclamó la abuela.

—No, no, tranquila —dijo el guía—. Esto fue lo más pesado. Ya casi llegamos a tierra firme.

Y sí, luego de bajar ese último tramo, piedra por piedra, llegaron al fondo del cañón. El premio era una vista espectacular que merecía cualquier sacrificio. A la derecha, el río Melendiz corría como animando a seguirlo. A la izquierda, se alzaba imponente el acantilado.

El único sitio donde se podía caminar quedaba en medio, entre la orilla del río y la abrupta verticalidad de aquel cañón. La vereda estaba sombreada por álamos, cipreses y pistachos.

—Además de numerosas habitaciones excavadas en la roca, hay más de cien iglesias rupestres –informaba Malak–. Visitaremos algunas.

—¿Por qué se complicarían tanto en vivir aquí? –preguntó Shannon.

—Tenían agua pura, una franja de tierra cultivable… –explicó el guía–. Y lo principal: en estas cuevas, vivían a salvo y practicaban libremente su religión.

La vereda se interrumpía en algunos sitios y, nuevamente, necesitaban descender un par de metros. La abuela se rezagaba, deteniendo al grupo. Su nieta quería saber cómo ayudar:

—¿Vas bien, abue? ¿Puedes bajar?

—Sí –aseguraba la señora– también podría ir más rápido… nada más que prefiero cuidar dónde piso. No quiero arriesgarme: cualquier torcedura de tobillo nos estropearía el viaje.

Shannon y Ramona aprovechaban el tiempo en explorar cualquier rincón sospechoso de contener alguna sorpresa: se asomaban a las cuevas, estudiaban los brotes de los pistachos y trataban de adivinar qué misterio se escondía del otro lado del río.

El grupo ya iba muy adelantado. Cada vez que los turistas entraban a una caverna, Malak regresaba a comprobar que todo siguiera bien con ellas.

Al principio del cañón, las iglesias quedaban casi al mismo nivel de la vereda. Las siguientes se ubicaban más arriba en el acantilado, y las últimas se volvieron inaccesibles. Como los turistas ya no podían entrar al resto de los templos, avanzaban rápido.

La abuela y su nieta se quedaron definitivamente atrás. Shannon y su mamá las acompañaban en un gesto de solidaridad. Continuaron solas largo trecho, casi dos kilómetros... Hasta que el río hizo una curva...

¡Y encontraron a Malak con el resto del grupo! Al verlas llegar, todos festejaron con aplausos. Era un parador rústico donde se podían sentar, tomar *chai*, comer pistaches... jugar con el gato.

—¡Es el mejor té del mundo, son los pistaches más ricos, y es el gato más bonito de Capadocia! –exclamó Ramona. Y los demás estuvieron de acuerdo.

Nuevamente, se pusieron en marcha. Ramona le preguntó a Malak si más adelante el camino se dividía o algo así. Él respondió que no, asegurándole que era imposible perderse: esa vereda terminaba en un estacionamiento donde los vehículos recogían a los turistas.

—O lo que queda de ellos –bromeó el guía–. ¡Éste es turismo de gran aventura!

—¡A buena hora lo dice! –reprochó la abuela.

En ese último tramo, debían bajar pequeñas cuestas muy pronunciadas. Otra vez la señora se rezagó. La tranquilidad de no sentirse extraviadas les permitía seguir disfrutando del paisaje.

Shannon y Ramona cruzaron un puente, para mirar desde el otro extremo. Enseguida regresaron. Del otro lado del río, la altura de las rocas era más baja; asomaban las viviendas de los pobladores. A lo lejos, se distinguían los conos de lava con orificios que parecían ojos y bocas.

—Son bonetes de duendes —decía Ramona.

—Con cara de asustados —completaba Shannon.

Ihlara cumplía con todas las expectativas: belleza, geología, historia, religión… resultaba una joya turística. Nada más que tres kilómetros de sendero accidentado eran muchos para cualquier abuela, aun siendo intrépida y de espíritu jovial.

Cuando llevaban mucho tiempo sin encontrar a nadie, cuando ese precioso cañón parecía interminable, vieron a un niño llegar acompañado de su burro. Pensaban que simplemente lo cruzarían, y se orillaron con el fin de permitirle el paso.

En vez de seguir, el chico se detuvo y arrimó su burro junto a una piedra grande. Con señas, pidió que la abuela se subiera a la piedra y de allí al burro.

Ellas se quedaron totalmente desconcertadas. Mediante alguna palabra en turco, otra en inglés, más varios ademanes, Ramona y el niño lograron entenderse.

—El guía lo mandó al rescate —explicó la nieta.

—¡Está loco! —dijo la abuela.

—Tal vez es buena idea —sugirió la mamá de Shannon.

—Sólo nos cobra cinco liras, abue —propuso Ramona— Shannon y yo podríamos adelantarnos un poco, así vemos por dónde anda Malak.

—¿Les parece? —dudó la señora—. No sé... aunque tampoco tenemos idea de cuánto falta...

¡Y se decidió!

A la abuela, no le causaba ninguna gracia subirse al burro. Al burro, no le causaba ninguna gracia que se le subiera la abuela. A la mamá de Shannon le preocupaba que la señora se cayera. Al niño le interesaba conducir bien el burro mientras hacía tintinear en su bolsillo las cinco monedas de una lira.

Las únicas que se divertían eran Shannon y Ramona: ¡les dio un ataque de risa! En vez de seguir el plan de adelantarse, cada una de ellas comenzó a disparar su cámara. Obtenían foto tras foto de la abuela montada en burro.

—¡Les van a encantar a mi abuelo! –decía Ramona.

—Señora, quiero tener un recuerdo suyo –se justificaba Shannon.

El burro avanzaba más lento de lo que ellas iban a pie. La abuela quiso bajarse lo antes posible. Necesitaba localizar otra piedra grande… y lograr que el niño entendiera…

Doblaron en un recodo… ¡y se encontraron de frente con el estacionamiento! ¡Allí estaba la camioneta, el resto del grupo, Malak y otro guía con sus respectivos turistas!

—¡Pero si el burro me acercó menos de treinta metros! –dijo la abuela, enojada–. ¡Este chico nos estafó!

—¡No sabíamos que ya andábamos tan cerca! –explicaban Ramona y Shannon a los demás, aún sin librarse de la risa.

Inmediatamente, la señora se convirtió en la atracción turística de sus compañeros, también de los otros visitantes y hasta de un tercer grupo que en ese momento bajaba del autobús.

Entonces, antes de que ella lograra desmontar, todos prepararon su cámara, ajustaron el lente, y tomaron fotos de "Abuela en burro".

Fachosas

Al regresar a Göreme, era tarde y nuevamente llovía. Malak explicaba que por la mañana visitarían palomares, cuevas y el Museo al Aire Libre donde se encontraban algunas de las iglesias rupestres más representativas de la zona.

—La excursión postre la dejaremos para después de la comida –dijo Malak.

—¿Cuál es? –preguntó alguien.

Cavusín, Pasa Baglari… –respondió el guía– diversos valles donde se alzan la mayor cantidad y más interesantes Chimeneas de las Hadas.

Enseguida, trató de tranquilizarlos.

—No se preocupen, hoy afrontamos el recorrido más duro. ¡Y todos lo resistieron! –sostuvo Malak, con gesto de pícaro–. Lo que falta es liviano. Descansen y nos vemos tempranito.

Las señoras preferían no llegar a sus respectivos hoteles; pidieron bajarse en la calle principal del pueblo.

Si veo mi cama en este momento, no salgo más de esa cueva –aseguró la abuela de Ramona.

Lo mismo digo –afirmó la mamá de Shannon–. Pero hay que esforzarse otro poco; las niñas necesitan cenar algo y nosotras también.

Caminaron por aquella vereda junto a hermosas tiendas artesanales donde daban ganas de entrar. Las chicas iban adelante.

—Ayer me compré un disfraz de odalisca color amarillo –comentó Shannon.

—¡Y yo uno azul celeste! –exclamó Ramona, entusiasmada.

Además, ambas coincidieron en que ya tenían discos de música turca.

—¿Qué tal si estrenamos nuestros disfraces y los discos, bailando en mi hotel? –propuso Shannon–. Nuestra cueva es grande.

—Y en la nuestra, podríamos bailar las cuatro… –dijo Ramona–. Sólo que hoy fue un día muy pesado; mi abuela está cansadísima.

—Mi mamá igual –reconoció Shannon–, hablo de mañana, luego de las excursiones.

—Ya no vamos a estar aquí –aclaró Ramona, con tristeza–. En la noche, salimos hacia Estambul. Tampoco pudimos volar en globo.

—Nosotras tenemos los boletos desde el principio –dijo Shannon–, pero cada amanecer los vuelos se suspenden por el viento y la lluvia.

Al no hallar ninguna fonda totalmente cubierta, preguntaron a los comerciantes. La mamá de Shannon, como disculpándose, expresaba en perfecto inglés que únicamente querían tomar un modesto plato de sopa sin pasar frío.

El vendedor de almohadones les recomendó cierto restaurante en otra calle. Y hacia allá se dirigieron.

Antes de entrar, notaron que se trataba de un lugar elegante, muy elegante, ¡súper elegante! ¡Hasta el gato que adornaba el jardín era elegante! Ramona exclamó:

—¡¿Vamos a entrar ahí?! ¡Pero si estamos en la peor facha del mundo!

—¿Cómo podríamos estar? –dijo la mamá de Shannon–, ¡después de recorrer el taller de alfarería, arrastrarnos por la ciudad subterránea y atravesar de un extremo a otro aquel valle recién regado por la lluvia…!

—¡Y además, montar en burro! –agregó la abuela.

Las cuatro ingresaron atacadas de risa a *ese* gran vestíbulo finamente alfombrado. Diversos adornos florales exhalaban su perfume y la música clásica invadía los rincones.

Mientras las señoras seguían al *maître* a la planta alta; las chicas se refugiaron en los tocadores de la planta baja.

—¡Un baño de verdad! –exclamó Ramona–, ¡impecable!

—¡Con todo lo que se necesita! –dijo Shannon–, ¡hasta con toallitas húmedas!

Trataron de mejorar su aspecto. Lo cual no fue fácil, ni rápido, ni los resultados muy evidentes. Cuando al fin se armaron de valor, salieron a caminar por la recepción donde abundaban las cabezas de caballos, algunas esculpidas en mármol, otras talladas en madera.

—¿Sabes lo que significa Capadocia? –preguntó Ramona.

—No –reconoció Shannon–. ¿Tú sabes?

—Quiere decir: "Tierra de los hermosos caballos" –aseguró Ramona–. Parece que los frigios eran expertos en la crianza de esos animales.

—¿Aprendiste toda la historia de este lugar? –quiso saber Shannon:

—¡No, qué va! –confesó Ramona–. Es una historia rica y complicada: ¡hasta Alejandro Magno anduvo por aquí! Además, son tantas etnias, tantas fechas, tantos lugares de nombres impronunciables en nuestro idioma… ¡Se me ha formado un nudo que no puedo desenredar!

En plena risa, subieron al restaurante por aquella escalera protegida con barandal de alabastro. Fueron recibidas con absoluta formalidad.

Avanzaban sobre mullidas alfombras, conscientes de sus botas enlodadas, tratando de pasar inadvertidas o de volverse invisibles... ¡Para colmo, el recinto era enorme!

Cruzaron junto a la mesa de una numerosa familia turca tradicional; todos muy correctos. Las señoras deslizaron la vista sobre Ramona y Shannon, desde la cabeza descubierta... hasta el calzado sucio.

Las chicas se codeaban. Querían mitigar, con un toque de humor, lo bochornoso de la circunstancia. Llegaron avergonzadas, aunque divertidas, donde ya las esperaban con rica sopa caliente. Shannon le dijo a su mamá:

—Mami: quiero tomarte una foto con el marco de este restaurante cinco estrellas; así, exactamente como luces ahora.

Ramona no se atrevió a tanto, aunque sí preguntó:

—Dime, abue: ¿el abrigo largo, aquel hermoso collar y tus zapatos de tacón alto que trajiste a Capadocia, fue con la intención de utilizarlos en un sitio de esta categoría?

Chimeneas

—Hoy comenzó a mejorar el clima —comentó el guía, con optimismo—. ¡Mañana amanecerá espléndido para viajar en *air balloon*! ¿A quién le falta ticket?

Luego de vender otros boletos, Malak bajó el tono y se dirigió a la abuela:

—Ustedes tienen planeado regresar esta noche a Estambul, pero... ¿cuándo vuelan a México?

—Pasado mañana —intervino Ramona, algo cabizbaja.

—Entonces, todavía pueden quedarse en Capadocia hasta mañana al mediodía —concluyó Malak.

Ramona tuvo una chispa de esperanza. En cambio, la abuela recalcó:

—Podríamos. Sólo que viajando de noche nos ahorramos el importe del hotel.

—Nosotras regresamos a Estambul mañana al mediodía —dijo Shannon, también ilusionada.

Y en aquel momento, llegaron al famoso Museo al Aire Libre. El parque geológico era más llamativo de lo que Ramona creía. De inmediato, exclamó:

—¡¿Todo esto es natural?!

A ella le parecía el trabajo de un decorador: cada cono en lugar estratégico con su baño de chocolate, alrededores salpicados en verde pistache y gato sentado en columna de piedra.

—¡Vamos! —la apresuró Shannon—, que el grupo nos deja atrás.

Ramona, aún sin recuperarse del asombro, se dejó conducir por su amiga adonde Malak recitaba sus conocimientos:

—Los apóstoles de Jesús se diseminaron, con la misión de dar a conocer el cristianismo. Lograron expandirlo rápidamente por Anatolia Central, debido a la construcción de numerosas iglesias y monasterios.

Después de una vuelta por las callejuelas empedradas del Museo al Aire Libre, entraron a conocer la Iglesia rupestre de Santa Bárbara. El guía explicó que era de la época iconoclasta, cuando se prohibieron las imágenes religiosas, por eso fue decorada con figuras geométricas y algunos detalles de la naturaleza.

A la vuelta, excavada en el mismo bloque de piedra, se encontraba la Iglesia de la Manzana con pinturas que representaban a Jesús.

—San Pablo afirmaba que Göreme era el sitio ideal para la formación de misioneros –decía Malak.

Ramona era una ebullición de sentimientos. Por un lado, estaba feliz de alcanzar lo que parecía inalcanzable: haber llegado a Capadocia. Por otro lado, experimentaba cierta frustración, debido al tiempo tan escaso. A ella no le bastaba sólo con ver.

Algo en su interior la llamaba a permanecer allí, quieta. Le hacía falta un momento a solas, sin prisas… Tal vez, quitarse el calzado y sentir esa piedra bajo sus pies; así, como seguramente la sintieron aquellos primeros fieles que rezaban en esos santuarios.

Shannon la observaba, tratando de entender. A ella también le fascinaba todo, aunque era evidente que Ramona lo vivía en un nivel más profundo.

Los grupos, dirigidos por guías, saltaban de una iglesia a otra, de un monasterio a otro, turnándose para entrar en las cuevas.

—¡Mira, la Cruz de Malta! –descubría Shannon.

—San Jorge y el dragón –observaba Ramona, pensativa.

Se tomaron fotos en los exteriores, y ya no hubo tiempo de recorrer las tiendas.

Por la carretera, cruzaron diversos conos de lava y viñedos bajos con brotes recientes. Llegaron a las ruinas de Zelve, con sus cuevas rupestres y sus palomares… Malak explicó que los mismos pobladores cavaron esos pequeños hoyos en lo alto. Y enseguida preguntó:

—¿Saben por qué?

—¿Por ayudar a las palomas? –supuso alguien.

—No –respondió Malak–, por obtener guano. Antes, los nativos abonaban sus sembrados con lo que dejaban las aves.

Ramona y Shannon exploraban las cuevas y se tomaban fotos en cada arco de entrada.

—Aquí, cocinaban –deducía Shannon– la bóveda está negra de humo.

—Y en estos huecos guardaban herramientas –observaba Ramona.

Siguieron camino hacia Ürgüp; un pequeño poblado donde había pocas Chimeneas de las Hadas, pero eran muy famosas. Malak señaló:

—Algunas personas nombran a este conjunto La Sagrada Familia: el padre, la madre y el niño; cuyas fotografías han dado la vuelta al mundo.

Y, por no ser menos, todos disparaban su cámara.

—Además, Ürgüp es famoso por un habitante del pueblo: Mustafa Güzelgöz –dijo el guía– fue premiado, en Estados Unidos, por fundar un servicio itinerante de biblioteca en burro.

—¡En burro, abue! —exclamó Ramona; y los demás la hicieron callar.

—Posteriormente, en Amsterdam –continuó Malak, con gesto de reproche– le otorgaron el nombramiento de Bibliotecario del Año.

El restaurante campestre se ubicaba a la orilla de un acantilado. Su pared de vidrio se orientaba hacia insólitas formaciones rocosas con viviendas incrustadas.

Después de comer, se dirigieron al Valle del Amor, nombrado así por la gran cantidad de pájaros que trinan al amanecer. Y enseguida partieron al Valle de la Imaginación.

—A esa piedra se la nombra el camello –dijo Malak– Aquí, cada uno de ustedes puede imaginar lo que guste.

—¡Un elefante! –decía alguien.

—¡Una leona con sus cachorros! –opinaba otro.

Pronto descubrieron formaciones rocosas que parecían ratones, conejos, pájaros, duendes… hadas…

—Aquellas son cuatro vírgenes orando –decía Shannon.

—O cuatro Dervishes danzando –interpretaba Ramona.

Y partieron rumbo a uno de los valles anhelados.

Al llegar, Ramona corrió al encuentro de las chimeneas, como si se fueran a escapar. Iba de una a otra, admirando aquellos sombreritos de basalto que parecían tambalearse. Cuánto había leído acerca de ese lugar, cuánto había soñado con conocerlo… ¡y por fin estaba allí!

El resto del grupo, escuchaba las explicaciones de Malak.

—¿Nunca se caen? –preguntó Shannon.

—Sí, cada tanto sucede –dijo el guía–. Por cada una que el tiempo destruye, otra piedra se va puliendo con el viento, la nieve y la lluvia. Al cabo de varios años aparece una nueva Chimenea.

Ramona deambulaba entre un cono y otro. Hasta que sintió una conexión especial con cierta Chimenea, le parecía que la llamaba… ¡y fue a su encuentro! Se detuvo junto a ella. La abrazó parada de puntitas, tratando de abarcarla toda. Con los ojos cerrados, pegó su mejilla a la piedra… se detuvo largo tiempo…

—¿Qué le pasa a esa chica? –preguntó alguien del grupo.

—¿Se siente mal? —quiso saber otra persona.

—¡Hay que ayudarla! –propuso alguien más.

—No –respondía la abuela, con una sonrisa–. Déjenla sola.

Y ante las miradas de reproche, la señora tuvo que aclarar:

—Únicamente, está convirtiendo en realidad un viejo sueño.

Vuelo en globo

Malak quedó tan impresionado por la emotividad de Ramona en las Chimeneas de las Hadas, que le comentó a la señora:

—Cualquiera se maravilla con este lugar, aunque pocas veces alguien se conmueve tanto como Ramona. Cada turista es importante en mi trabajo, pero lo es más aquella persona que verdaderamente aprecia nuestra región.

—Está bien informada porque lee mucho –sostuvo la abuela–. Me alegra haberla traído a Capadocia; pudo vivir todo lo que soñaba.

—No. No todo –intervino el guía–. Faltó el vuelo en globo. Desde arriba, se divisa el panorama completo de esta zona; queda fijo en la mente como una postal. Ustedes deben viajar en *air balloon*.

La señora se mostró extrañada, creyó que Malak pretendía imponer la venta de billetes. Y en aquel momento, regresaba Ramona con cierto brillo en sus ojos. El guía se dirigió a ambas, anunciándoles un par de noticias:

—Primera: el hotelero acordó compensarlas por la variante en la categoría del hotel ofrecido. Tienen una noche de hospedaje gratuito.

Ramona no entendía nada, miró a su abuela quien guardaba silencio. Malak continuó:

—Segunda: me quedaron sin vender dos boletos del *air balloon*. A esta hora, ya no los puedo colocar. Señora, señorita… –dijo el guía, inclinándose levemente al extender dos sobres– ¡Son suyos! Es un regalo de la agencia.

—¡YUPI! –gritó Ramona.

Y comenzó a dar volteretas… Abrazaba a quienes tenía cerca: su abuela, el guía, Shannon y su mamá, los demás integrantes de la excursión, dos señoras mayores que atravesaban casualmente… Todo eso a la vez que exclamaba:

—¡Yupi! ¡En globo! ¡Vamos a viajar en globo!

El grupo entero acompañó su alegría con sonrisas y aplausos.

Ramona y su abuela ya no se fueron aquella noche. Llamaron por teléfono al papá, hablaron largamente.

—Yo desconfío de esas cosas que andan por el aire —decía la señora—, sólo llevaré a la niña si es con permiso de su papá.

Y el papá dio su permiso.

Ramona quiso festejar de inmediato. Se reunieron en el hotel de Shannon a escuchar discos de música turca. Las chicas estrenaron sus disfraces de odaliscas, encima de la ropa porque hacía frío.

Bailaban, inventando pasos y movimientos en aquella cueva con miles de años… frente a una mamá y a una abuela que al principio únicamente reían… Hasta que ellas también se integraron a la danza, llevadas por esa música invitadora y por la algarabía de sus niñas.

A las cinco de la madrugada, Ramona y su abuela ya se alistaban para el viaje en globo. Estaba oscuro cuando salieron con la camioneta en busca de Shannon y su mamá; luego recogieron a otros turistas que no conocían.

—¿Alcanzaremos a subir antes de la salida del sol? —preguntó Ramona.

—El globo tiene que subir antes –respondió el guía.

—Abue –dijo la nieta en un susurro, acurrucándose junto al hombro de su abuela–. Por fin, voy a cumplir mi sueño de ver salir el sol en las Chimeneas de las Hadas.

Se juntaron con otras personas en la explanada de donde partirían. Ramona y Shannon no eran las únicas menores en esa nueva aventura. También llegaron un par de muchachos españoles que viajaban con sus padres. Uno de ellos se acercó a preguntarles:

—¿De dónde sois vosotras?

Antes de que pudieran responder, su hermano se interpuso:

—¿Cuándo habéis llegado?

Ramona contestó:

—Mejor, pregunta cuándo nos vamos.

Y Shannon, con tono de resignación, intervino:

—En pocas horas más.

Mientras terminaban de preparar el globo, y la gente se ubicaba en la canasta, Malak exponía algunos conceptos, en voz alta, tratando de hacerse oír en medio del ruido:

—Las maravillas de Capadocia, que la hacen tan atractiva, se conjugan en tres elementos fundamentales:

Uno. Las ciudades subterráneas, abiertas en épocas anteriores a Jesús y, posteriormente, ampliadas por los primeros cristianos con el fin de utilizarlas como refugios.

Dos. Los monasterios y las iglesias rupestres sobre la superficie, aunque también cavadas en roca volcánica.

Tres. Las bellezas naturales: valles, acantilados y Chimeneas de las Hadas que sobrevolaremos en este amanecer.

¡En aquel momento despegaron de la tierra, y ya nadie escuchó a Malak! Al principio, gritaron por la emoción de levantar vuelo… o por temor. Después, por lo que comenzaban a distinguir en esa penumbra que aclaraba rápidamente.

Sólo el gato se quedó en silencio, observando cómo se elevaban. Una franja de cielo color naranja se abría paso en el horizonte, y comenzó a iluminar aquella meseta traicionera.

—¡Ahí, nos perdimos! –señaló Ramona.

—¡¿Tanto caminaron?! –se admiró la mamá de Shannon.

—¡De ida y de regreso! –sostuvo la abuela.

—¡Qué piedras tan hermosas! –dijo Shannon.

—No las ves igual si andas extraviada –aseguró Ramona.

Malak iba ocupado respondiendo preguntas en el otro extremo de la canasta. Como los muchachos españoles habían llegado la noche anterior, las chicas se sintieron expertas en Capadocia. De inmediato, actuaron de guías.

—Aquella es la fortaleza de Uchisar —indicaba Ramona.

—Y ése es el poblado de Ürgüp con La Sagrada Familia —decía Shannon.

Les mostraron el centro de Göreme, el Museo al Aire Libre, los palomares, las cuevas rupestres…

De pronto, un fuerte ruido los sobresaltó. Era el fogonazo al inyectar más aire caliente al globo. Todos miraron al capitán que llevaba el control, su sonrisa era tranquilizadora. Al subir, el globo ofrecía una vista amplia con los primeros rayos del sol que se detenían en los picos más altos. Al descender, la canasta lograba colarse entre los cañadones; se aproximaba tanto a las rocas, que casi se podían tocar.

—¡Pájaros! –descubría uno de los jóvenes, intentando alcanzar las ramas de los álamos.

—¡Viñedos! –divisaba el otro, buscando lucirse ante las chicas por su hallazgo.

Y cuando al fin el sol quiso alumbrar completamente, cuando la luz penetró hasta lo más profundo de los valles, Ramona estiró su brazo, su mano, su dedo… y gritó:

—¡Miren quiénes están allí! ¡Hola! ¡Hola!

Incluso los turistas que no entendían español giraron hacia donde ella señalaba, y comenzaron a escudriñar en busca de personas. Querían identificar a los valientes que se aventuraban por aquella desolación al amanecer…

Entonces, mientras todos esperaban ver a geólogos madrugadores, a excursionistas perdidos, a pastores con sus rebaños… Ramona completó:

¡Allí! ¡Allí están mis preciosas Chimeneas de las Hadas!

ÍNDICE

Se terminó la impresión de esta obra en octubre
de 2009 en los talleres de Editorial Progreso, S. A. de C. V.
Naranjo No. 248, Col. Santa María la Ribera
Delegación Cuauhtémoc, C. P. 06400, México, D. F.